Petits *C*lassiques
LAROUSSE

Collection fondée par Félix Guirand,
Agrégé des Lettres

Le Colonel Chabert

Honoré de Balzac

Roman

Édition présentée, annotée et commentée
par Évelyne AMON,
certifiée de lettres modernes

Direction de la collection : Carine GIRAC-MARINIER

Direction éditoriale : Claude Nimmo

Édition : Marie-Hélène CHRISTENSEN

Lecture-correction : service lecture-correction LAROUSSE

Direction artistique : Uli MEINDL

Couverture et maquette intérieure : Serge CORTESI,
Sophie RIVOIRE, Uli MEINDL

Mise en page : Monique BARNAUD, JOUVE, SARAN

Responsable de fabrication : Marlène DELBEKEN

SOMMAIRE

Avant d'aborder l'œuvre

20 Le Colonel Chabert

Honoré de Balzac

112 Avez-vous bien lu ?

Pour approfondir

AVANT D'ABORDER L'ŒUVRE

Fiche d'identité de l'auteur

Balzac

Nom : Honoré de Balzac.

Naissance : 20 mai 1799, à Tours.

Famille : origine paysanne. Père fonctionnaire sous l'Empire. Particule « de » accolée au nom « Balzac » (ex-Balssa) en 1802. Liens étroits avec sa sœur Laure.

Formation : scolarité médiocre. Lecteur passionné. Études de droit. Stages de clerc de notaire et d'avoué.

Un jeune homme ambitieux : dès 1820, développe des réflexions philosophiques. Puissante vocation d'écrivain. S'essaye sans succès à la tragédie (*Cromwell*). Rêve de devenir riche et célèbre. Publie de nombreux romans populaires (« littérature marchande », « cochonneries littéraires ») sous différents pseudonymes. Éditeur et imprimeur (1825-1827) : faillite et dettes chroniques.

Premiers chefs-d'œuvre (1828-1833) : *Le Dernier Chouan*, devenu *Les Chouans* (1829), *La Peau de chagrin* (1831), *La Transaction*, première version du *Colonel Chabert* (1832), *Eugénie Grandet* (1833) l'imposent sur la scène littéraire. Travail acharné et publications multiples.

La gloire (1833-1840) : *Le Père Goriot* (1835) avec, pour la première fois, le principe du retour des personnages. Regroupe ses œuvres en *Études de mœurs* divisées en six séries : « Scènes de la vie privée », « Scènes de la vie de province », « Scènes de la vie parisienne », « Scènes de la vie politique », « Scènes de la vie militaire », « Scènes de la vie de campagne ». Grands romans : *Le Lys dans la vallée* (1836), *Illusions perdues* (1837-1843). Publie 20 volumes d'*Études philosophiques*.

La Comédie humaine (1841-1850) : conçoit le vaste ensemble de *La Comédie humaine* où tous ses romans fonctionnent en système (1842-1848). Expose sa doctrine dans l'Avant-propos. Gigantesque fresque sociale de 26 tomes, 137 romans. *La Cousine Bette* (1846), *Le Cousin Pons* (1847). Mariage avec Mme Hanska (mars 1850).

Mort : le 18 août 1850 à Paris à l'âge de 51 ans.

Pour ou contre
Balzac ?

Pour

SAINTE-BEUVE :

« Quant au style, il l'a fin, subtil, courant, pittoresque, sans analogie aucune avec la tradition. »

Causeries du lundi, 2 septembre 1850

Victor HUGO :

« Il arrache à tous quelque chose, aux uns l'illusion, aux autres l'espérance, à ceux-ci un cri, à ceux-là un masque. Il fouille le vice, il dissèque la passion. Il creuse et sonde l'homme, l'âme, le cœur, les entrailles, le cerveau, l'abîme que chacun a en soi. »

Allocution prononcée le jour des obsèques de Balzac, *L'Événément*, 22 août 1850

George SAND :

« Le roman a été pour Balzac le cadre et le prétexte d'un examen presque universel des idées, des sentiments, des pratiques, des habitudes, de la législation, des arts, des métiers, des coutumes, des localités, enfin de tout ce qui a constitué la vie de ses contemporains. »

Nohant, octobre 1853

Contre

Gustave LANSON :

« Son but essentiel, c'est de peindre les relations sociales et les natures humaines. Mais [...] il faut signaler un défaut et une lacune : son goût déplorable pour les pires invraisemblances, les plus romanesques extravagances du roman-feuilleton ; et l'incapacité absolue où se trouve son génie robuste et vulgaire de rendre les caractères délicats ou les mœurs raffinées. »

Histoire de la littérature française, Hachette, 1953

Repères chronologiques

Vie et œuvre de Balzac

1799
Naissance à Tours (20 mai).

1807-1813
Pensionnaire au collège de Vendôme.

1814
La famille Balzac à Paris.

1815-1819
Étudie le droit. Clerc de notaire chez Mᵉ Guillonnet-Merville, puis chez Mᵉ Passez.

1819
S'installe dans une mansarde pour devenir écrivain.

1820
Cromwell, tragédie jugée nulle.

1822
Liaison avec Mᵐᵉ de Berny, la Dilecta.

1825-1826
Balzac, éditeur, imprimeur et romancier. Liaison avec la duchesse d'Abrantès.

1828
Faillite et dettes.

1829
Les Chouans, premier roman signé « Balzac ». *La Physiologie du mariage*.

1831
La Femme de trente ans. Succès de *La Peau de chagrin*. Introduit dans les milieux légitimistes.

1832
Première lettre de l'Étrangère (la comtesse polonaise Ewelina Hanska). **Parution en feuilleton de *La Transaction (Le Colonel Chabert)* dans la revue *L'Artiste*.**

Événements politiques et culturels

1799
Coup d'État de Bonaparte. Le Consulat.

1804
Proclamation de l'Empire. Sacre de Napoléon. Le Code civil.

1805-1806
Victoire d'Austerlitz (1805). Victoire d'Iéna (1806).

1807-1808
Victoire d'Eylau contre la Prusse (1807). Création de la noblesse d'Empire (1808).

1810
Mariage de Napoléon Iᵉʳ et de Marie-Louise d'Autriche.

1812
Campagne de Russie. Désastre.

1814
Abdication de Napoléon. Exil à l'île d'Elbe. Retour des Bourbons en France (Louis XVIII).

1815
Napoléon : les Cent-Jours. Défaite de Waterloo contre les Anglais. Napoléon à Sainte-Hélène. **La Restauration : Louis XVIII (frère de Louis XVI) roi de France.**

1816
Benjamin Constant, *Adolphe*.

1820-1821
Lamartine, *Premières Méditations*. Mort de Napoléon Iᵉʳ (1821).

1824
Mort de Louis XVIII et avènement de son frère Charles X.

1827
Hugo, Préface de *Cromwell*.

1829
Hugo, *Les Orientales*, *Le Dernier Jour d'un condamné*.

Repères chronologiques

Vie et œuvre de Balzac

1833
Eugénie Grandet.
Rencontre Mme Hanska, à Neuchâtel.

1834
Séjour à Genève avec Mme Hanska. *La Duchesse de Langeais. La Recherche de l'absolu.*

1835
Le Père Goriot. Séraphita.
La Comtesse à deux maris (Le Colonel Chabert).

1836
Le Lys dans la vallée.
Mort de Mme de Berny.

1837-1843
Illusions perdues. Splendeurs et misères des courtisanes (1839).

1841
Contrat pour l'édition complète de *La Comédie humaine*. Mort du mari de Mme Hanska.

1843
En Russie pour retrouver Mme Hanska (après huit ans de séparation). Problèmes de santé.

1844
***Le Colonel Chabert* (titre définitif).**

1845
Plan définitif de *La Comédie humaine*. Légion d'honneur.

1846
Achat de l'hôtel de la rue Fortunée. *La Cousine Bette*.

1847
Le Cousin Pons. Gros soucis d'argent et de santé.

1850
Mariage avec Mme Hanska le 14 mars. Mort de Balzac le 18 août, à Paris. Éloge funèbre par Victor Hugo.

Événements politiques et culturels

1830
27, 28, 29 juillet : « les Trois Glorieuses ». Proclamé « roi des Français », le duc d'Orléans devient Louis-Philippe Ier. Stendhal, *Le Rouge et le Noir*.

1831
Hugo, *Notre-Dame de Paris*.

1832-1833
Manifestations républicaines aux funérailles du général Lamarque. Sand, *Indiana, Lélia*. Musset, *Les Caprices de Marianne*.

1834
Insurrections républicaines à Paris et Lyon. Musset, *Lorenzaccio*.

1835-1836
Hugo, *Les Chants du crépuscule*. Vigny, *Chatterton*. Musset, *La Confession d'un enfant du siècle*.

1838-1839
Hugo, *Ruy Blas*. Stendhal, *La Chartreuse de Parme*.

1840
Retour en France des cendres de Napoléon Ier. Mérimée, *Colomba*. Daumier, *Les Gens de justice*.

1841
Le tombeau de Napoléon aux Invalides.

1844
Alexandre Dumas, *Les Trois Mousquetaires*.

1848
Révolution de Février. IIe République. Louis Napoléon, président.

1850
Naissance de Guy de Maupassant.

Fiche d'identité de l'œuvre

Le Colonel Chabert

Auteur : Honoré de Balzac (33 ans).

Genre : roman bref ou nouvelle.

Titres successifs : *La Transaction*, *Le Comte Chabert*, *La Comtesse à deux maris*, *Le Colonel Chabert* (1844).

Place dans *La Comédie humaine* : classé dans les « Scènes de la vie parisienne », puis dans les « Scènes de la vie privée ».

Principaux personnages : le colonel Hyacinthe Chabert, enfant trouvé, soldat de Napoléon, appartenant à la petite noblesse d'Empire, héros de la bataille d'Eylau, homme d'honneur ; la comtesse Ferraud, sa femme, née Rose Chapotel, ancienne prostituée épousée par amour, femme sans cœur, remariée avec le comte Ferraud, ambitieux conseiller d'État issu de l'aristocratie de l'Ancien Régime ; Derville, avoué, loyal, intelligent, généreux, excellent homme de loi, ses clercs Simonnin, Godeschal, Boucard, Desroches, Huré ; Vergniaud, ancien maréchal des logis, ami de Chabert ; Delbeck, avoué ruiné, homme de main de la comtesse.

Sujet : laissé pour mort sur le champ de bataille d'Eylau (1807), le colonel Chabert est miraculeusement parvenu à s'extraire du monceau de cadavres sous lequel il était enseveli. Un jour de mars 1819, après dix années d'errance, il entre chez Derville pour demander de l'aide : remariée et riche de son héritage, sa femme, devenue la comtesse Ferraud, refuse de le reconnaître. Touché par son récit, l'avoué accepte de l'aider à retrouver son nom, sa fortune et son épouse. Une première rencontre est organisée entre la comtesse et son premier mari : c'est un fiasco ! Mais adroitement la jeune femme entraîne le colonel dans sa maison de campagne et tente de l'amadouer par ses cajoleries. Cependant, le colonel surprend des paroles qui révèlent la fausseté de la comtesse. Écœuré, il décide d'abandonner sa cause sans faire valoir ses droits. En 1840, Derville le retrouve à l'asile de la Vieillesse de Bicêtre. Il ne répond plus à son nom.

Principaux thèmes : la justice, la société de la Restauration, l'argent, Napoléon, la femme sans cœur, Paris.

Pour ou contre

Le Colonel Chabert ?

Pour

Stéphane VACHON :

« Une tragédie moderne, un roman de la vie privée, une affaire judiciaire, une scène parisienne, une histoire militaire, une étude de femme : *Le Colonel Chabert* est tout cela. »

Introduction au *Colonel Chabert*, Librairie générale française, 1994

Karlheinz STIERLE, Jean STAROBINSKI :

« Il n'est pas exagéré de considérer *Le Colonel Chabert* comme le récit le plus réussi que Balzac ait écrit dans son œuvre immense. »

La Capitale des signes : Paris et son discours, Édition de la Maison des sciences de l'homme, 2001

Contre

Honoré de BALZAC :

« J'ai trouvé cela détestable, manquant de goût, de vérité, et j'ai eu le courage de recommencer sous presse. »

Lettre à Mme Hanska, 1835

« *La Femme à deux maris*, autrement dit *Le Colonel Chabert*, n'a pas cessé de figurer dans les *Scène de la vie privée*, malgré la nécessité qu'il y aurait, par respect pour le bon sens et la logique, à l'introduire dans les *Scènes de la vie militaire*. »

Revue de Paris, septembre 1839

Pour mieux lire l'œuvre

✧ Au temps de Balzac

La Restauration : les temps nouveaux

Le Colonel Chabert porte la marque de l'époque dans laquelle s'inscrit l'intrigue : la Restauration, qui voit le retour de la monarchie en France après la chute du premier Empire. Pendant quinze ans, Louis XVIII (1815-1824) et Charles X (1824-1830) – et dans leur sillage Louis-Philippe – vont accomplir durant la monarchie de Juillet (1830-1848) une vraie rupture politique, sociale et culturelle. Le grand élan des années napoléoniennes fait place à « l'immense civilisation moderne libérée par la chute de l'Empire et par l'installation du constitutionnalisme bourgeois[1] ». C'est une société en pleine mutation qui se dressera devant le colonel Chabert, héros de la bataille d'Eylau, ancien grognard dont la pensée et les principes démodés (honneur, gloire, patriotisme) ne résisteront pas au réalisme sans scrupule des temps nouveaux. Mais Napoléon a profondément marqué les esprits. On compte, parmi ses admirateurs, Balzac, qui se propose de suivre l'exemple de l'Empereur : « Ce qu'il a entrepris par l'épée, je l'accomplirai par la plume. »

Balzac : un jeune écrivain ambitieux et endetté

Le XIXe siècle est le siècle du roman. Avec Stendhal (*Le Rouge et le Noir*, 1830) et Victor Hugo (*Notre-Dame de Paris*, 1831), le genre romanesque explose. Passionné de littérature, Balzac veut égaler les plus grands. Il publie d'abord des articles, des nouvelles et des romans faciles. Ces œuvres « alimentaires » sont destinées à lui faire gagner de l'argent pour payer ses dettes. Car l'écrivain est aussi un homme d'affaires malchanceux : il a perdu une fortune dans une imprimerie qui a fait faillite (1828) et les créanciers sont à ses trousses ! Publiées sous différents pseudonymes (lord R'Hoone

---

1. Pierre Barbéris, *Balzac,* éd. Larousse, 1971.

[anagramme de son prénom « Honoré »], Horace de Saint-Aubin...), romanesques à souhait, pleines de péripéties extravagantes, ses premières œuvres utilisent toutes les ficelles du roman populaire. Elles constituent en quelque sorte des exercices d'entraînement, comme l'expliquera plus tard Balzac : « J'ai écrit sept romans, comme simple étude : un pour apprendre le dialogue, un pour apprendre la description, un pour grouper les personnages, un pour la composition, etc. »

Les premiers succès

C'est avec *Les Chouans* (1929) que Balzac trouve sa voie. Premier roman signé de son nom, cette œuvre fondatrice influencée par les récits historiques de l'Anglais Walter Scott, inspirera à son auteur une fierté légitime, même si elle fut un échec commercial. La même année, un essai, *La Physiologie du mariage,* connaîtra un succès de scandale. Désormais, plus personne n'oubliera le nom de Balzac. Peu après, en 1831, paraît une « fantaisie presque orientale où la Vie elle-même est peinte aux prises avec le Désir, principe de toute Passion ». C'est *La Peau de chagrin.* L'année suivante est publié un court roman, *La Transaction,* qui deviendra *Le Colonel Chabert.* Ces œuvres de jeunesse sont capitales : elles permettent à l'écrivain de mettre au point son art, qui consiste à montrer la réalité dans le moindre détail, à créer des personnages-types et des individus inoubliables, à raconter sans lyrisme des drames intimes, à mettre en scène la société dans toute sa diversité. Désormais, Balzac est lancé. À grand renfort de café noir, il engage une œuvre colossale qui le tiendra à sa table de travail nuit et jour jusqu'à sa mort : c'est *La Comédie humaine,* composée de 137 romans qui communiquent entre eux.

Pour mieux lire l'œuvre

Le Colonel Chabert : des expériences, des idées et des faits

De quelle manière Balzac a-t-il conçu *Le Colonel Chabert* ? Comme souvent dans la création littéraire, plusieurs éléments se conjuguent pour composer une œuvre singulière. Ainsi trouve-t-on ici des éléments autobiographiques : à 17 ans et demi, Balzac, obéissant aux vœux de son père, commence son droit. Il travaillera pendant dix-huit mois chez l'avoué Guillonnet-Merville, avant d'enchaîner une seconde période en qualité de clerc chez le notaire Victor Passez. Cette expérience inspire à l'écrivain certains décors-clés de l'action (l'étude de Me Derville, le tribunal), quelques personnages à la fois hauts en couleur (les clercs) et remarquablement représentatifs du monde de la chicane (Derville). Elle lui donne aussi une belle aisance dans l'emploi du vocabulaire juridique. Mais d'où lui vient l'idée de faire revenir d'outre-tombe son héros ? Peut-être du général de Saint-Geniès qui, mortellement blessé le 15 juillet 1812, comme le rapporte le *Bulletin de la Grande Armée*, réapparut bien vivant en 1814. Quant au nom de Chabert, il est authentique : plusieurs colonels portant ce nom ont réellement existé. Mais certains récits militaires – genre très en vogue à l'époque – ont aussi sans doute influencé Balzac, comme *Éléonore*, récit anonyme dans lequel le héros, laissé pour mort sur un champ de bataille, est sauvé par un officier russe. Enfin, l'effroyable bataille d'Eylau qui, le 8 février 1807, par temps de neige, opposa les 57 000 soldats français aux armées russo-prussiennes (respectivement 74 000 et 8 500 hommes), en faisant des milliers de morts et de blessés, fournit à l'écrivain une matière dramatique de premier ordre.

De *La Transaction* au *Colonel Chabert*

L'œuvre que nous étudions ici a été plusieurs fois rénovée. La première version (1832) a pour titre *La Transaction*. Elle est publiée en quatre épisodes (« Scène d'étude », « La résurrection », « Les deux visites », « L'hospice de la Vieillesse ») dans la revue *L'Artiste*, les 19 et 26 février, et les 4 et 11 mars 1832. La même année, le récit est rebaptisé : *Le Comte Chabert*. En 1835, le roman paraît en volume sous le titre *La Comtesse à deux maris* avant de devenir *Le Colonel Chabert* en 1844 et d'entrer dans *La Comédie humaine*. L'évolution des titres révèle les différents regards portés sur l'œuvre par son auteur. Dans un premier temps, c'est autour de l'arbitrage entre le héros et son ex-femme, devenue la comtesse Ferraud, que s'organise l'action. Plus tard, c'est sur la personne privée de Chabert que se concentre l'œuvre. Puis c'est la bigamie de la comtesse Ferraud qui est mise en évidence. Enfin, dans la dernière version, le titre annonce que c'est la tragédie intime du colonel qui donne son sens au roman. De sa création à la dernière édition, dite édition Furne (1844), Balzac ne cesse de remanier son texte : la composition du récit, l'action, les personnages et l'écriture font l'objet d'incessantes corrections, montrant le degré d'exigence de l'auteur sur cette œuvre. De même, la place du *Colonel Chabert* dans *La Comédie humaine* varie au cours des ans : d'abord inscrit dans les « Scènes de la vie parisienne », le roman est ensuite déplacé dans les *Scènes de la vie privée*. Mais jamais Balzac ne le logera parmi les « Scènes de la vie militaire » : pour lui, *Le Colonel Chabert* n'est pas un roman militaire.

Accueil et destin de l'œuvre

Noyé parmi une multitude d'ouvrages parus sous la plume de Balzac dans des revues ou en librairie, *La Transaction* n'a pas vraiment marqué les esprits. On peut néanmoins mentionner un article qui fera date : celui du *Journal des femmes*, où Mme de Salignac écrit : « Oh ! qu'il est beau d'être ainsi créateur, ne fût-ce qu'une fois dans sa vie ! » Cette relative discrétion de la critique permettra à deux auteurs de transposer le roman au théâtre – sans l'autorisation de Balzac –, adaptation qui fera la publicité du roman auprès du grand public.

Tantôt perçu comme un roman bref, tantôt qualifié de nouvelle en raison d'une action très resserrée autour de trois personnages principaux (Chabert, Derville, la comtesse Ferraud), *Le Colonel Chabert*

Pour mieux lire l'œuvre

doit l'essentiel de sa popularité aux adaptations très réussies qu'en a fait le cinéma au XXᵉ Siècle. Devenu, au fil du temps, une des œuvres les plus illustres de l'auteur, ce bref récit s'impose, pour les lecteurs familiers de *La Comédie humaine*, comme un relais important d'autres romans où réapparaissent Derville et la comtesse Ferraud.

L'essentiel

Le Colonel Chabert s'inscrit dans une période marquée par la Révolution et l'Empire, alors qu'une nouvelle monarchie se met en place sous la Restauration. Jeune écrivain ambitieux, travailleur acharné, Balzac s'impose en 1832 comme un des romanciers-clés de son époque. Constamment remanié, le récit trouve sa place dans *La Comédie humaine* parmi les « Scènes de la vie privée ».

✤ L'œuvre aujourd'hui

Une voie d'accès à *La Comédie humaine*

Le Colonel Chabert pratique le réalisme du regard et de l'écriture tel qu'il se déploie dans l'ensemble de *La Comédie humaine*. On y trouve tout ce qui fait la singularité de Balzac. D'abord, la passion d'observer. Rien n'échappe à cet œil d'artiste qui considère non seulement l'apparence des êtres et des choses, mais qui, à partir d'un détail, d'un ornement ou d'une particularité (geste, parole, couleur, odeur...), creuse l'image pour en révéler le sens. Ensuite, l'art de mettre en scène les drames humains par la description implacable des décors (l'étude de Me Derville, la vacherie de Vergniaud, l'antichambre du greffe du tribunal). Enfin, la faculté d'animer des dialogues d'une vérité saisissante, en donnant à chaque personnage le langage qui révèle sa culture, son caractère, ses émotions. À ces traits essentiels s'ajoute le don d'inventer des histoires fascinantes comme celle de cet homme passé pour mort et qui revient parmi les vivants alors qu'on ne l'attend plus.

Un document historique

À travers trois personnages représentatifs, Boutin, Vergniaud et Chabert, Balzac évoque des types militaires de l'armée napoléonienne. Les deux premiers incarnent le soldat de base, simple, dévoué, patriote ; le colonel Chabert personnifie l'officier supérieur, héroïque par vocation et fervent soutien de l'Empereur (« le patron »). Le récit que fait Chabert de la bataille d'Eylau vaut n'importe quel rapport militaire sur les guerres napoléoniennes. Balzac, via le récit de Chabert, fait du lecteur le spectateur du champ de bataille. L'action militaire (la célèbre charge que fit Murat, et qui décida du gain de la bataille) est mise en scène comme au cinéma (« je tombai de cheval, Murat vint à mon secours, il me passa sur le corps, lui et tout son monde, quinze cents hommes »). Quant à l'extraordinaire aventure du colonel laissé pour mort sous les cadavres

Pour mieux lire l'œuvre

de ses compagnons, elle illustre, mieux que ne le ferait n'importe quel rapport administratif, l'expérience physique et morale d'un soldat blessé.

Un document social

Le Colonel Chabert dresse un état des lieux de la France durant la première moitié du XIXe siècle. Le personnage de Chabert, enfant trouvé devenu comte et colonel, distingué par une Légion d'honneur qui récompense ses actions militaires, renvoie à la société française sous Napoléon dans laquelle l'effort personnel, le talent, la vaillance et la fidélité permettent à l'individu de s'élever dans l'échelle sociale. Le duo Derville-Chabert met en évidence l'organisation de la justice sous Louis XVIII, avec ses institutions, ses hommes de loi, ses systèmes d'attaque et de défense qui échappent à la logique du commun des mortels. Quant à l'échec du colonel, il a valeur d'avertissement : gare à ceux qui refusent de s'adapter aux temps nouveaux ! Pour eux, rien d'autre que l'exclusion et l'oubli... Le récit offre également une promenade instructive dans le Paris d'autrefois, en faisant pénétrer le lecteur dans les quartiers chics de la capitale réservés aux riches (la Chaussée d'Antin, où habite la comtesse Ferraud), dans les faubourgs populaires destinés aux pauvres (la vacherie de Vergniaud), et dans les bâtiments public où se retrouvent toutes les misères de la cité (le tribunal, l'hospice de Bicêtre, où finit Chabert).

L'essentiel

Le Colonel Chabert permet une entrée dans *La Comédie humaine* de Balzac. Le réalisme de l'écrivain s'y déploie à la fois dans l'observation, la description des décors, la mise en scène de l'action et les dialogues. À la fois document historique et miroir social, le roman s'impose au lecteur comme un témoignage sur la France de la première moitié du XIXe siècle.

Le Colonel Chabert

Honoré
de Balzac

Roman (1844)

Honoré de Balzac

Paris, février-mars 1832.

Épître

À MADAME LA COMTESSE IDA
DE BOCARMÉ, NÉE DU CHASTELER[1]

« Allons ! encore notre vieux carrick[2] ! »

Cette exclamation échappait à un clerc[3] appartenant au genre de ceux qu'on appelle dans les études[4] des *saute-ruisseaux*[5], et qui mordait en ce moment de fort bon appétit dans un morceau de pain ; il en arracha un peu de mie pour faire une boulette et la lança railleusement par le vasistas d'une fenêtre sur laquelle il s'appuyait. Bien dirigée, la boulette rebondit presque à la hauteur de la croisée[6], après avoir frappé le chapeau d'un inconnu qui traversait la cour d'une maison située rue Vivienne, où demeurait Me Derville, avoué[7].

« Allons, Simonnin, ne faites donc pas de sottises aux gens, ou je vous mets à la porte. Quelque pauvre que soit un client, c'est toujours un homme, que diable ! » dit le Maître clerc en interrompant l'addition d'un mémoire de frais[8].

Le saute-ruisseau est généralement, comme était Simonnin, un garçon de treize à quatorze ans, qui dans toutes les études se trouve sous la domination spéciale du Principal clerc dont les

---

1. **COMTESSE IDA DE BOCARMÉ, NÉE DU CHASTELER :** amie et admiratrice de Balzac.
2. **Carrick :** sorte de redingote très ample qui a plusieurs pèlerines étagées.
3. **Clerc :** employé d'une étude de notaire.
4. **Étude :** local où un homme de loi (notaire, avoué, huissier) fait travailler ses clercs.
5. **Saute-ruisseaux :** un saute-ruisseau est un petit clerc chargé de faire le coursier.
6. **Croisée :** fenêtre.
7. **Avoué :** officier public ayant le droit exclusif de rédiger certains actes et de représenter les parties (l'accusation et la défense) devant les tribunaux ; avocat.
8. **Mémoire de frais :** liste de dépenses.

commissions[1] et les billets doux[2] l'occupent tout en allant porter des exploits[3] chez les huissiers[4] et des placets[5] au Palais[6]. Il tient au[7] gamin de Paris par ses mœurs[8], et à la Chicane[9] par sa destinée. Cet enfant est presque toujours sans pitié, sans frein[10], indisciplinable, faiseur de couplets[11], goguenard[12], avide et paresseux. Néanmoins presque tous les petits clercs ont une vieille mère logée à un cinquième étage avec laquelle ils partagent les trente ou quarante francs qui leur sont alloués[13] par mois.

---

1. **Commissions :** courses diverses.
2. **Billets doux :** correspondance amoureuse.
3. **Exploits :** actes judiciaires portés chez un huissier.
4. **Huissiers :** officiers de justice chargés de signifier les actes de procédure, et de mettre à exécution les jugements.
5. **Placets :** requêtes auprès d'un tribunal pour obtenir une audience.
6. **Palais :** le Palais de Justice (à Paris).
7. **Il tient au :** il tient du.
8. **Mœurs :** habitudes de vie, comportement.
9. **Chicane :** personnes qui vivent des procès et des procédures.
10. **Sans frein :** sans rien qui l'arrête.
11. **Faiseur de couplets :** qui fait des chansons.
12. **Goguenard :** qui plaisante en se moquant, moqueur.
13. **Alloués :** accordés (pour une somme d'argent, un salaire).

Honoré de Balzac

« Si c'est un homme, pourquoi l'appelez-vous *vieux carrick* ? » dit Simonnin de l'air de l'écolier qui prend son maître en faute.

Et il se remit à manger son pain et son fromage en accotant[1] son épaule sur le montant de la fenêtre, car il se reposait debout, ainsi que les chevaux de coucou[2], l'une de ses jambes relevée et appuyée contre l'autre, sur le bout du soulier.

« Quel tour pourrions-nous jouer à ce chinois-là[3] ? » dit à voix basse le troisième clerc nommé Godeschal en s'arrêtant au milieu d'un raisonnement qu'il engendrait dans une requête[4] grossoyée[5] par le quatrième clerc et dont les copies étaient faites par deux néophytes[6] venus de province. Puis il continua son improvisation : « … *Mais, dans sa noble et bienveillante sagesse, Sa Majesté Louis Dix-Huit* (mettez en toutes lettres, hé ! Desroches[7] le savant qui faites la Grosse[8] !), *au moment où Elle reprit les rênes de son royaume, comprit…* (qu'est-ce qu'il comprit, ce gros farceur-là ?) *la haute mission à laquelle Elle était appelée par la divine Providence[9]* !… … (point admiratif et six points : on est assez religieux au Palais pour nous les passer[10]), *et sa première pensée fut, ainsi que le prouve la date de l'ordonnance[11] ci-dessous désignée, de*

---

1. **Accotant :** appuyant.
2. **Coucou :** petite voiture publique à deux roues, qui servait au transport des voyageurs (six à huit personnes au maximum) dans les environs de Paris.
3. **Ce chinois-là :** cet être bizarre.
4. **Requête :** demande faite au nom de la loi.
5. **Grossoyée :** faire la grosse d'un acte, c'est-à-dire le rédiger en plus gros caractères pour qu'il occupe davantage de lignes, ce qui augmentera son prix.
6. **Néophytes :** clercs nouvellement arrivés dans l'étude.
7. **Desroches :** le quatrième clerc.
8. **La Grosse :** voir note 5 ci-dessus.
9. **Divine Providence :** Dieu, le destin.
10. **Passer :** accepter.
11. **Ordonnance :** texte de loi émanant du roi. Ici, il s'agit d'une ordonnance du 5-6 décembre 1814 sur l'indemnisation des émigrés. Le clerc adapte le texte original à sa façon. L'original énonce que « sont exceptés de la remise, les biens affectés à un service public pendant le temps qu'il sera jugé nécessaire de leur laisser cette destination ».

20 *réparer les infortunes[1] causées par les affreux et tristes désastres de
nos temps révolutionnaires, en restituant à ses fidèles et nombreux
serviteurs* (nombreux est une flatterie qui doit plaire au Tribunal)
*tous leurs biens non vendus[2], soit qu'ils se trouvassent dans le
domaine public[3], soit qu'ils se trouvassent dans le domaine ordinaire
25 ou extraordinaire de la Couronne[4], soit enfin qu'ils se trouvassent
dans les dotations[5] d'établissements publics, car nous sommes et
nous nous prétendons habiles à soutenir que tel est l'esprit et le sens
de la fameuse et si loyale ordonnance rendue en... !* Attendez, dit
Godeschal aux trois clercs, cette scélérate de phrase a rempli la fin
30 de ma page. — Eh bien, reprit-il en mouillant de sa langue le dos
du cahier afin de pouvoir tourner la page épaisse de son papier
timbré, eh bien, si vous voulez lui faire une farce, il faut lui dire
que le patron ne peut parler à ses clients qu'entre deux et trois
heures du matin : nous verrons s'il viendra, le vieux malfaiteur ! »
35 Et Godeschal reprit la phrase commencée : « *rendue en...* Y êtes
vous ? demanda-t-il.

— Oui », crièrent les trois copistes[6].

Tout marchait à la fois, la requête, la causerie et la conspiration.

« *Rendue en...* Hein ? papa Boucard, quelle est la date de l'ordon-
40 nance ? il faut mettre les points sur les i, saquerlotte[7] ! Cela fait des
pages.

— *Saquerlotte !* répéta l'un des copistes avant que Boucard le
Maître clerc n'eût répondu.

— Comment, vous avez écrit *saquerlotte* ? s'écria Godeschal en
45 regardant l'un des nouveaux venus d'un air à la fois sévère et
goguenard.

---

1. **Infortunes :** malheurs.
2. **Biens non vendus :** pendant la Révolution, les biens de la noblesse avaient été confisqués et souvent vendus.
3. **Domaine public :** certains des biens confisqués appartenaient désormais à la nation.
4. **Domaine ordinaire ou extraordinaire de la Couronne :** mention des biens qui appartenaient au roi.
5. **Dotations :** revenus attribués à un établissement public.
6. **Copistes :** personnes qui copient et recopient les textes à la main.
7. **Saquerlotte :** déformation de « saperlotte », juron familier.

— Mais oui, dit Desroches le quatrième clerc en se penchant sur la copie de son voisin, il a écrit : *Il faut mettre les points sur les i,* et *sakerlotte* avec un k. »

Tous les clercs partirent d'un grand éclat de rire.

« Comment, monsieur Huré, vous prenez *saquerlotte* pour un terme de Droit, et vous dites que vous êtes de Mortagne[1] ! s'écria Simonnin.

— Effacez bien ça ! dit le Principal clerc. Si le juge chargé de taxer le dossier[2] voyait des choses pareilles, il dirait qu'on *se moque de la barbouillée*[3] ! Vous causeriez des désagréments au patron. Allons, ne faites plus de ces bêtises-là, monsieur Huré ! Un Normand ne doit pas écrire insouciamment une requête. C'est le : *Portez arme !* de la Basoche[4].

— *Rendue en... en... ?* demanda Godeschal. Dites-moi donc quand, Boucard ?

— Juin 1814[5] », répondit le Premier clerc sans quitter son travail.

Un coup frappé à la porte de l'étude interrompit la phrase de la prolixe[6] requête. Cinq clercs bien endentés[7], aux yeux vifs et railleurs, aux têtes crépues, levèrent le nez vers la porte, après avoir tous crié d'une voix de chantre[8] : « Entrez. » Boucard resta la face ensevelie dans un monceau d'actes, nommés broutille[9] en style de Palais[10], et continua de dresser le mémoire de frais auquel il travaillait.

---

1. **Mortagne :** petite ville de Normandie. Les Normands sont alors réputés pour leur esprit procédurier. Ils devraient, par conséquent, être particulièrement attentifs dans la transcription des termes juridiques (voir quelques lignes plus loin dans le récit).
2. **Taxer le dossier :** fixer les frais de justice.
3. **On se moque de la barbouillée :** on dit n'importe quoi.
4. **C'est le :** *Portez arme !* **de la Basoche :** l'expression « Portez arme » évoque les premiers pas du soldat dans l'armée. De même, savoir rédiger une requête constitue le savoir de base des avoués et des clercs désignés comme « la Basoche ».
5. **Juin 1814 :** erreur de Balzac (voir note 11, p. 22).
6. **Prolixe :** bavarde.
7. **Bien endentés :** aux belles dents, affamés.
8. **Chantre :** chanteur d'église, dont la voix est particulièrement sonore.
9. **Broutille :** petites affaires de peu d'importance.
10. **En style de Palais :** dans le langage courant de la justice.

70 L'étude était une grande pièce ornée du poêle classique qui garnit tous les antres de la chicane[1] Les tuyaux traversaient diagonalement la chambre et rejoignaient une cheminée condamnée[2] sur le marbre de laquelle se voyaient divers morceaux de pain, des triangles de fromage de Brie, des côtelettes de porc frais, des 75 verres, des bouteilles, et la tasse de chocolat du Maître clerc.

L'odeur de ces comestibles s'amalgamait[3] si bien avec la puanteur du poêle chauffé sans mesure, avec le parfum particulier aux bureaux et aux paperasses, que la puanteur d'un renard n'y aurait pas été sensible. Le plancher était déjà couvert de fange[4] 80 et de neige apportée par les clercs. Près de la fenêtre se trouvait le secrétaire à cylindre[5] du Principal, et auquel était adossée la petite table destinée au second clerc. Le second *faisait* en ce moment *le Palais*[6]. Il pouvait être de huit à neuf heures du matin. L'étude avait pour tout ornement ces grandes affiches jaunes qui 85 annoncent des saisies immobilières[7], des ventes, des licitations[8] entre majeurs et mineurs, des adjudications définitives ou préparatoires[9], la gloire des études ! Derrière le Maître clerc était un énorme casier qui garnissait le mur du haut en bas, et dont chaque compartiment était bourré de liasses d'où pendaient un 90 nombre infini d'étiquettes et de bouts de fil rouge qui donnent une physionomie spéciale aux dossiers de procédure[10]. Les rangs

---

1. **Les antres de la chicane :** les repères obscurs et mystérieux où se traitent les affaires de justice.
2. **Condamnée :** fermée, murée.
3. **S'amalgamait :** se mêlait.
4. **Fange :** boue.
5. **Secrétaire à cylindre :** bureau fermé par un couvercle en forme de quart de cercle qui, relevé, se glisse à l'intérieur du meuble pour dégager la table de travail.
6. **Faisait en ce moment le Palais :** allusion (pour rire) aux prostituées qui vendaient leurs charmes au Palais-Royal.
7. **Saisie immobilière :** confiscation d'un bien immobilier sur décision de justice.
8. **Licitation :** vente aux enchères d'une chose qui appartient à plusieurs propriétaires. Le tribunal ordonne une licitation judiciaire quand les copropriétaires majeurs sont en désaccord ou quand il y a des mineurs.
9. **Adjudication définitive ou préparatoire :** vente d'un bien sur décision de justice. Le premier jugement qui impose la vente est dit « préparatoire », le dernier qui attribue la propriété du bien à l'acheteur est dit « définitif ».
10. **Dossier de procédure :** ensemble des documents qui traitent d'une affaire de justice.

inférieurs du casier étaient pleins de cartons jaunis par l'usage,
bordés de papier bleu, et sur lesquels se lisaient les noms des gros
clients dont les affaires juteuses[1] se cuisinaient en ce moment. Les
95   sales vitres de la croisée laissaient passer peu de jour. D'ailleurs,
au mois de février, il existe à Paris très peu d'études où l'on puisse
écrire sans le secours d'une lampe avant dix heures, car elles sont
toutes l'objet d'une négligence assez concevable : tout le monde
y va, personne n'y reste, aucun intérêt personnel ne s'attache à ce
100 qui est si banal ; ni l'avoué, ni les plaideurs[2], ni les clercs ne tiennent à l'élégance d'un endroit qui pour les uns est une classe, pour
les autres un passage, pour le maître un laboratoire. Le mobilier
crasseux se transmet d'avoués en avoués avec un scrupule si religieux que certaines études possèdent encore des boîtes à *résidus*[3],
105 des moules à *tirets*[4], des sacs provenant des procureurs[5] au *Chlet*,
abréviation du mot CHATELET[6], juridiction qui représentait dans
l'ancien ordre de choses[7] le tribunal de première instance[8] actuel.
Cette étude obscure, grasse de poussière, avait donc, comme
toutes les autres, quelque chose de repoussant pour les plaideurs,
110 et qui en faisait une des plus hideuses monstruosités parisiennes.
Certes, si les sacristies[9] humides où les prières se pèsent et se
payent comme des épices, si les magasins des revendeuses[10] où
flottent des guenilles qui flétrissent toutes les illusions de la vie en

---

1. **Juteuses :** qui rapportent beaucoup d'argent.
2. **Plaideurs :** ceux qui plaident, qui sont en procès pour régler un désaccord.
3. **Résidus :** documents qui ne servent qu'indirectement la cause du procès et qu'il n'est pas indispensable de conserver une fois que le jugement a été rendu.
4. **Tirets :** filets de parchemin qui, comme une ficelle, permettent d'attacher ensemble les documents.
5. **Procureurs :** 1. Avoués. 2. Magistrats représentant les intérêts du roi ou du public.
6. **Châtelet :** la forteresse du Châtelet de Paris fut jusqu'en 1802 le palais de justice où siégeait la « juridiction », tribunal ayant le pouvoir de juger des affaires civiles et criminelles.
7. **L'ancien ordre de choses :** l'Ancien Régime.
8. **Tribunal de première instance :** tribunal qui, dans chaque arrondissement, juge des affaires civiles et des délits.
9. **Sacristies :** la sacristie est la pièce annexe d'une église, où l'on range les vases sacrés et les vêtements sacerdotaux.
10. **Revendeuses :** femmes qui achètent de vieux vêtements pour les revendre.

nous montrant où aboutissent nos fêtes, si ces deux cloaques[1] de
la poésie n'existaient pas, une étude d'avoué serait de toutes les
boutiques sociales la plus horrible. Mais il en est ainsi de la maison de jeu, du tribunal, du bureau de loterie et du mauvais lieu[2].
Pourquoi ? Peut-être dans ces endroits le drame, en se jouant dans
l'âme de l'homme, lui rend-il les accessoires indifférents : ce qui
expliquerait aussi la simplicité des grands penseurs et des grands
ambitieux.

« Où est mon canif ?

— Je déjeune !

— Va te faire lanlaire[3], voilà un pâté sur la requête[4] !

— Chît ![5] messieurs. »

Ces diverses exclamations partirent à la fois au moment où le
vieux plaideur ferma la porte avec cette sorte d'humilité qui dénature les mouvements de l'homme malheureux. L'inconnu essaya
de sourire, mais les muscles de son visage se détendirent quand
il eut vainement cherché quelques symptômes d'aménité[6] sur les
visages inexorablement insouciants des six clercs. Accoutumé sans
doute à juger les hommes, il s'adressa fort poliment au saute-ruisseau, en espérant que ce pâtiras[7] lui répondrait avec douceur.

« Monsieur, votre patron est-il visible ? »

Le malicieux saute-ruisseau ne répondit au pauvre homme
qu'en se donnant avec les doigts de la main gauche de petits coups
répétés sur l'oreille, comme pour dire : « Je suis sourd. »

« Que souhaitez-vous, monsieur ? demanda Godeschal qui tout
en faisant cette question avalait une bouchée de pain avec laquelle
on eût pu charger une pièce de quatre[8], brandissait son couteau,

---

1. **Cloaques :** lieux infâmes et sordides.
2. **Mauvais lieu :** lieu de prostitution.
3. **Va te faire lanlaire :** va te faire voir (très familier).
4. **Voilà un pâté sur la requête :** une « requête » est une demande faite au nom de la loi. Un « pâté de requête » était une sorte de petit pâté chaud. Balzac joue sur les mots.
5. **Chît ! :** chut ! Onomatopée pour imposer le silence.
6. **Symptômes d'aménité :** signes d'amabilité, de douceur.
7. **Pâtiras :** souffre-douleur, personne sur qui s'exerce la cruauté des autres.
8. **Pièce de quatre :** canon à large diamètre.

et se croisait les jambes en mettant à la hauteur de son œil celui de ses pieds qui se trouvait en l'air.

— Je viens ici, monsieur, pour la cinquième fois, répondit le patient. Je souhaite parler à M. Derville.

145 — Est-ce pour une affaire ?

— Oui, mais je ne puis l'expliquer qu'à monsieur...

— Le patron dort, si vous désirez le consulter sur quelques difficultés, il ne travaille sérieusement qu'à minuit. Mais si vous vouliez nous dire votre cause, nous pourrions, tout aussi bien que lui,

150 vous... »

L'inconnu resta impassible[1]. Il se mit à regarder modestement autour de lui, comme un chien qui, en se glissant dans une cuisine étrangère, craint d'y recevoir des coups. Par une grâce de leur état, les clercs n'ont jamais peur des voleurs, ils ne soupçonnèrent donc

155 point l'homme au carrick et lui laissèrent observer le local, où il cherchait vainement un siège pour se reposer, car il était visiblement fatigué. Par système, les avoués laissent peu de chaises dans leurs études. Le client vulgaire, lassé d'attendre sur ses jambes, s'en va grognant, mais il ne prend pas un temps qui, suivant le mot

160 d'un vieux procureur, n'est pas admis en *taxe*[2].

« Monsieur, répondit-il, j'ai déjà eu l'honneur de vous prévenir que je ne pouvais expliquer mon affaire qu'à M. Derville, je vais attendre son lever. »

Boucard avait fini son addition. Il sentit l'odeur de son chocolat,

165 quitta son fauteuil de canne[3], vint à la cheminée, toisa[4] le vieil homme, regarda le carrick et fit une grimace indescriptible. Il pensa probablement que, de quelque manière que l'on tordît ce client, il serait impossible d'en extraire un centime ; il intervint alors par une parole brève, dans l'intention de débarrasser l'étude

170 d'une mauvaise pratique[5].

---

1. **Impassible :** imperturbable, qui ne montre aucune émotion.
2. **Un temps qui [...] n'est pas admis en taxe :** un temps qui n'est pas comptabilisé dans les frais de justice, qui ne rapporte pas d'argent.
3. **Fauteuil de canne :** fauteuil canné, dont le siège et le dossier sont constitués par des roseaux tressés.
4. **Toisa :** verbe « toiser », regarder de haut.
5. **Pratique :** clientèle.

« Ils vous disent la vérité, monsieur. Le patron ne travaille que pendant la nuit. Si votre affaire est grave, je vous conseille de revenir à une heure du matin. »

Le plaideur regarda le Maître clerc d'un air stupide, et demeura pendant un moment immobile. Habitués à tous les changements de physionomie et aux singuliers caprices produits par l'indécision ou par la rêverie qui caractérisent les gens processifs[1], les clercs continuèrent à manger, en faisant autant de bruit avec leurs mâchoires que doivent en faire des chevaux au râtelier, et ne s'inquiétèrent plus du vieillard.

« Monsieur, je viendrai ce soir », dit enfin le vieux qui par une ténacité particulière aux gens malheureux voulait prendre en défaut l'humanité.

La seule épigramme[2] permise à la Misère est d'obliger la Justice et la Bienfaisance à des dénis[3] injustes. Quand les malheureux ont convaincu[4] la Société de mensonge, ils se rejettent plus vivement dans le sein de Dieu.

« Ne voilà-t-il pas un fameux crâne[5] ? dit Simonnin sans attendre que le vieillard eût fermé la porte.

— Il a l'air d'un déterré, reprit le dernier clerc.

— C'est quelque colonel qui réclame un arriéré[6], dit le Maître clerc.

— Non, c'est un ancien concierge, dit Godeschal.

— Parions qu'il est noble, s'écria Boucard.

— Je parie qu'il a été portier, répliqua Godeschal. Les portiers sont seuls doués par la nature de carricks usés, huileux et déchiquetés par le bas comme l'est celui de ce vieux bonhomme ! Vous n'avez donc vu ni ses bottes éculées[7] qui prennent l'eau, ni sa cravate qui lui sert de chemise ? Il a couché sous les ponts.

---

1. **Processifs :** qui se complaisent dans les procès.
2. **Épigramme :** court texte en vers qui se termine par un mot ou par un trait piquant.
3. **Dénis :** refus d'une chose due.
4. **Ont convaincu :** ont apporté la preuve que.
5. **Crâne :** hardi et querelleur. Ici jeu de mots (le colonel a le crâne fracassé, comme on le verra dans la suite du récit).
6. **Arriéré :** paiement en retard.
7. **Éculées :** en très mauvais état.

200 — Il pourrait être noble et avoir tiré le cordon[1], s'écria Desroches. Ça s'est vu !

— Non, reprit Boucard au milieu des rires, je soutiens qu'il a été brasseur[2] en 1789[3], et colonel sous la République.

— Ah ! je parie un spectacle pour tout le monde qu'il n'a pas été
205 soldat, dit Godeschal.

— Ça va, répliqua Boucard.

— Monsieur ! monsieur ? cria le petit clerc en ouvrant la fenêtre.

— Que fais-tu, Simonnin ? demanda Boucard.

— Je l'appelle pour lui demander s'il est colonel ou portier, il doit
210 le savoir, lui. »

Tous les clercs se mirent à rire. Quant au vieillard, il remontait déjà l'escalier.

« Qu'allons-nous lui dire ? s'écria Godeschal.

— Laissez-moi faire ! » répondit Boucard.
215 Le pauvre homme rentra timidement en baissant les yeux, peut-être pour ne pas révéler sa faim en regardant avec trop d'avidité les comestibles.

« Monsieur, lui dit Boucard, voulez-vous avoir la complaisance de nous donner votre nom, afin que le patron sache si…
220 — Chabert.

— Est-ce le colonel mort à Eylau[4] ? demanda Huré qui n'ayant encore rien dit était jaloux d'ajouter une raillerie à toutes les autres.

— Lui-même, monsieur », répondit le bonhomme avec une sim-
225 plicité antique.

Et il se retira.

« Chouit !

— Dégommé !

— Puff !
230 — Oh !

---

1. **Avoir tiré le cordon :** double jeu de mots. L'expression associe les cordons de la bourse à ceux des sonnettes que l'on tirait alors à l'aide d'un cordon.
2. **Brasseur :** personne qui fabrique et vend de la bière.
3. **1789 :** année de la Révolution française.
4. **Eylau :** effroyable bataille du 8 février 1807 où Napoléon remporta de justesse une victoire sur les Russes.

— Ah !

— Bâoum !

— Ah ! le vieux drôle !

— Trinn, la, la, trinn, trinn !

235 — Enfoncé !

— Monsieur Desroches, vous irez au spectacle sans payer », dit Huré au quatrième clerc, en lui donnant sur l'épaule une tape à tuer un rhinocéros.

Ce fut un torrent de cris, de rires et d'exclamations, à la peinture
240 duquel on userait toutes les onomatopées[1] de la langue.

« À quel théâtre irons-nous ?

— À l'Opéra ! s'écria le Principal.

— D'abord, reprit Godeschal, le théâtre n'a pas été désigné. Je puis, si je veux, vous mener chez Mme Saqui[2].

245 — Mme Saqui n'est pas un spectacle, dit Desroches.

— Qu'est-ce qu'un spectacle ? reprit Godeschal. Établissons d'abord le *point de fait*[3]. Qu'ai-je parié, messieurs ? un spectacle. Qu'est-ce qu'un spectacle ? une chose qu'on voit…

— Mais dans ce système-là, vous vous acquitteriez donc en nous
250 menant voir l'eau couler sous le Pont-Neuf ? s'écria Simonnin en interrompant.

— Qu'on voit pour de l'argent[4], disait Godeschal en continuant.

— Mais on voit pour de l'argent bien des choses qui ne sont pas un spectacle. La définition n'est pas exacte, dit Desroches.

255 — Mais écoutez-moi donc !

— Vous déraisonnez, mon cher, dit Boucard.

— Curtius est-il un spectacle ? dit Godeschal.

— Non, répondit le Maître clerc, c'est un cabinet de figures.

---

1. **Onomatopées :** une onomatopée est un mot dont le son imite et suggère ce qu'il signifie (ex. : glouglou).
2. **Mme Saqui :** acrobate célèbre qui faisait l'admiration de Napoléon Ier. Son théâtre du boulevard du Temple portait son nom.
3. **Établissons le point de fait :** précisons les faits.
4. **Qu'on voit pour de l'argent :** il fallait alors s'acquitter d'un péage pour franchir le Pont-Neuf.

Honoré de Balzac

— Je parie cent francs contre un sou, reprit Godeschal, que le
260 cabinet de Curtius[1] constitue l'ensemble de choses auquel est
dévolu[2] le nom de spectacle. Il comporte une chose à voir à différents prix, suivant les différentes places où l'on veut se mettre.

— Et *berlik berlok*[3], dit Simonnin.

— Prends garde que je ne te gifle, toi ! » dit Godeschal.
265 Les clercs haussèrent les épaules.

« D'ailleurs, il n'est pas prouvé que ce vieux singe ne se soit pas
moqué de nous, dit-il en cessant son argumentation étouffée par le
rire des autres clercs. En conscience[4], le colonel Chabert est bien
mort, sa femme est remariée au comte Ferraud, conseiller d'État.
270 Mme Ferraud est une des clientes de l'étude !

— La cause[5] est remise à demain, dit Boucard. À l'ouvrage, messieurs ! Sac-à-papier[6] ! l'on ne fait rien ici. Finissez donc votre
requête, elle doit être signifiée[7] avant l'audience[8] de la Quatrième
Chambre[9]. L'affaire se juge aujourd'hui. Allons, à cheval.

275 — Si c'eût été le colonel Chabert, est-ce qu'il n'aurait pas chaussé
le bout de son pied dans le postérieur de ce farceur de Simonnin
quand il a fait le sourd ? dit Desroches en regardant cette observation comme plus concluante que celle de Godeschal.

---

1. **Cabinet de Curtius :** sorte de musée où étaient exposées des figures de cire
   représentant des personnalités mortes ou vivantes, comme le musée Grévin
   aujourd'hui.
2. **Dévolu :** attribué.
3. **Berlik berlok :** cahin-caha, tant bien que mal.
4. **En conscience :** honnêtement.
5. **La cause :** l'affaire.
6. **Sac-à-papier :** juron.
7. **Signifiée :** présentée.
8. **Audience :** séance du tribunal.
9. **Quatrième Chambre :** à Paris, le tribunal civil de première instance a
   huit chambres.

— Puisque rien n'est décidé, reprit Boucard, convenons d'aller aux secondes loges des Français[1] voir Talma[2] dans Néron. Simonnin ira au parterre[3]. »

Là-dessus, le Maître clerc s'assit à son bureau, et chacun l'imita.

« *Rendue en juin mil huit cent quatorze* (en toutes lettres), dit Godeschal, y êtes-vous ?

— Oui, répondirent les deux copistes et le grossoyeur[4] dont les plumes recommencèrent à crier sur le papier timbré[5] en faisant dans l'étude le bruit de cent hannetons enfermés par des écoliers dans des cornets de papier.

— *Et nous espérons que Messieurs composant le tribunal*, dit l'improvisateur. Halte ! il faut que je relise ma phrase, je ne me comprends plus moi-même.

— Quarante-six[6]... Ça doit arriver souvent !... Et trois, quarante-neuf, dit Boucard.

— *Nous espérons*, reprit Godeschal après avoir tout relu, *que Messieurs composant le tribunal ne seront pas moins grands que ne l'est l'auguste auteur[7] de l'ordonnance, et qu'ils feront justice des misérables prétentions de l'administration de la grande chancellerie*

---

1. **Secondes loges des Français :** les loges (petits compartiments d'une salle de spectacle) de la Comédie-Française (ou Théâtre-Français).
2. **Talma :** célèbre tragédien de l'époque, très admiré de Napoléon et peu apprécié du pouvoir sous la Restauration. Les clercs, en voulant assister à une représentation de *Britannicus*, la tragédie de Racine dont Néron est le héros, marquent ainsi leur préférence politique.
3. **Parterre :** la partie du théâtre, au rez-de-chaussée, où le public qui regarde le spectacle est debout.
4. **Grossoyeur :** celui qui fait la « grosse », c'est-à-dire qui rédige un acte en remplissant le plus de papier possible ; voir note 5, p. 22.
5. **Papier timbré :** papier portant une sorte de tampon (le timbre), obligatoire pour certains documents officiels.
6. **Quarante-six :** 46 lignes.
7. **L'auguste auteur :** Louis XVIII.

de la Légion d'honneur[1] en fixant la jurisprudence[2] dans le sens large que nous établissons ici...

300 — Monsieur Godeschal, voulez-vous un verre d'eau ? dit le petit clerc.

— Ce farceur de Simonnin ! dit Boucard. Tiens, apprête tes chevaux à double semelle[3], prends ce paquet, et valse jusqu'aux Invalides[4].

305 — *Que nous établissons ici*, reprit Godeschal. Ajoutez : *dans l'intérêt de madame...* (en toutes lettres) *la vicomtesse de Grandlieu[5]...*

— Comment ! s'écria le Maître clerc, vous vous avisez de faire des requêtes dans l'affaire vicomtesse de Grandlieu contre Légion d'honneur, une affaire pour compte d'étude[6], entreprise à forfait[7] ?
310 Ah ! vous êtes un fier nigaud[8] ! Voulez-vous bien me mettre de côté vos copies et votre minute[9], gardez-moi cela pour l'affaire Navarreins contre les Hospices[10]. Il est tard, je vais faire un bout de placet, avec des *attendu*[11], et j'irai moi-même au Palais... »

Cette scène représente un des mille plaisirs qui, plus tard, font
315 dire en pensant à la jeunesse : « C'était le bon temps ! »

---

1. **Prétentions de [...] Légion d'honneur :** la Légion d'honneur, créée par Napoléon Ier, était financée par les biens nationaux (confisqués aux émigrés pendant la Révolution), ce qui la rendit très impopulaire auprès de la vieille noblesse.
2. **Jurisprudence :** ensemble des principes de droit qu'on suit dans chaque pays ou dans chaque domaine.
3. **Apprête tes chevaux à double semelle :** prépare tes deux jambes (prépare-toi à partir à toute vitesse).
4. **Valse jusqu'aux Invalides :** rends-toi immédiatement aux Invalides.
5. **La vicomtesse de Grandlieu :** opposée au financement de la Légion d'honneur par les biens nationaux, elle récupèrera grâce à Derville une grande partie de sa fortune confisquée pendant la Révolution.
6. **Pour compte d'étude :** à perte (c'est l'étude qui devra payer les frais).
7. **Entreprise à forfait :** engagée sur le principe d'un forfait, c'est-à-dire d'une somme fixée d'avance.
8. **Un fier nigaud :** un sacré imbécile.
9. **Minute :** original d'un document émanant d'une juridiction ou d'un officier public.
10. **L'affaire Navarreins contre les Hospices :** confisquée pendant la Révolution, la fortune de la famille Navarreins avait bénéficié aux Hospices. Derville engagera avec succès une action en justice contre ces Hospices.
11. **Attendu :** dans le style juridique, la formule « attendu que » en tête des phrases permet d'énumérer les différents aspects d'un procès ou d'un jugement.

Vers une heure du matin, le prétendu colonel Chabert vint frapper à la porte de Mᵉ Derville, avoué près le tribunal de première instance du département de la Seine. Le portier lui répondit que M. Derville n'était pas rentré. Le vieillard allégua[1] le rendez-vous
320 et monta chez ce célèbre légiste[2], qui, malgré sa jeunesse, passait pour être une des plus fortes têtes du Palais. Après avoir sonné, le défiant solliciteur ne fut pas médiocrement étonné de voir le Premier clerc occupé à ranger sur la table de la salle à manger de son patron les nombreux dossiers des affaires qui venaient le len-
325 demain en ordre utile. Le clerc, non moins étonné, salua le colonel en le priant de s'asseoir : ce que fit le plaideur.

« Ma foi, monsieur, j'ai cru que vous plaisantiez hier en m'indiquant une heure si matinale pour une consultation, dit le vieillard avec la fausse gaieté d'un homme ruiné qui s'efforce de sourire.
330 — Les clercs plaisantaient et disaient vrai tout ensemble, reprit le Principal en continuant son travail. M. Derville a choisi cette heure pour examiner ses causes[3], en résumer les moyens, en ordonner la conduite, en disposer les *défenses*. Sa prodigieuse intelligence est plus libre en ce moment, le seul où il obtienne le silence et
335 la tranquillité nécessaires à la conception des bonnes idées. Vous êtes, depuis qu'il est avoué, le troisième exemple d'une consultation donnée à cette heure nocturne. Après être rentré, le patron discutera chaque affaire, lira tout, passera peut-être quatre ou cinq heures à sa besogne ; puis, il me sonnera et m'expliquera ses inten-
340 tions. Le matin, de dix heures à deux heures, il écoute ses clients, puis il emploie le reste de la journée à ses rendez-vous. Le soir, il va dans le monde pour y entretenir ses relations. Il n'a donc que la nuit pour creuser ses procès, fouiller les arsenaux du Code[4] et faire ses plans de bataille. Il ne veut pas perdre une seule cause, il
345 a l'amour de son art. Il ne se charge pas, comme ses confrères, de toute espèce d'affaire. Voilà sa vie, qui est singulièrement active. Aussi gagne-t-il beaucoup d'argent. »

---

1. **Allégua :** verbe « alléguer », mettre en avant.
2. **Légiste :** qui connaît ou qui étudie les lois.
3. **Ses causes :** ses affaires en cours.
4. **Fouiller les arsenaux du Code :** explorer l'ouvrage de référence (le Code) renfermant les lois et les moyens de se défendre en justice.

Honoré de Balzac

En entendant cette explication, le vieillard resta silencieux, et sa bizarre figure prit une expression si dépourvue d'intelligence, que le clerc, après l'avoir regardé, ne s'occupa plus de lui. Quelques instants après, Derville rentra, mis[1] en costume de bal ; son Maître clerc lui ouvrit la porte, et se remit à achever le classement des dossiers. Le jeune avoué demeura pendant un moment stupéfait en entrevoyant dans le clair-obscur le singulier client qui l'attendait. Le colonel Chabert était aussi parfaitement immobile que peut l'être une figure en cire de ce cabinet de Curtius où Godeschal avait voulu mener ses camarades. Cette immobilité n'aurait peut-être pas été un sujet d'étonnement, si elle n'eût complété le spectacle surnaturel que présentait l'ensemble du personnage. Le vieux soldat était sec et maigre. Son front, volontairement caché sous les cheveux de sa perruque lisse, lui donnait quelque chose de mystérieux. Ses yeux paraissaient couverts d'une taie[2] transparente : vous eussiez dit de la nacre sale dont les reflets bleuâtres chatoyaient à la lueur des bougies. Le visage pâle, livide, et en lame de couteau, s'il est permis d'emprunter cette expression vulgaire, semblait mort. Le cou était serré par une mauvaise cravate de soie noire. L'ombre cachait si bien le corps à partir de la ligne brune que décrivait ce haillon, qu'un homme d'imagination aurait pu prendre cette vieille tête pour quelque silhouette due au hasard, ou pour un portrait de Rembrandt[3], sans cadre. Les bords du chapeau qui couvrait le front du vieillard projetaient un sillon noir sur le haut du visage. Cet effet bizarre, quoique naturel, faisait ressortir, par la brusquerie du contraste, les rides blanches, les sinuosités froides, le sentiment décoloré de cette physionomie cadavéreuse. Enfin l'absence de tout mouvement dans le corps, de toute chaleur dans le regard, s'accordait avec une certaine expression de démence[4] triste, avec les dégradants symptômes par lesquels se caractérise l'idiotisme, pour faire de cette figure je ne sais quoi de funeste qu'aucune parole humaine ne pourrait exprimer.

---

1. **Mis :** habillé.
2. **Une taie :** un voile.
3. **Rembrandt :** peintre hollandais (1606-1669) célèbre notamment pour ses autoportraits.
4. **Démence :** folie.

380 Mais un observateur, et surtout un avoué, aurait trouvé de plus en cet homme foudroyé les signes d'une douleur profonde, les indices d'une misère qui avait dégradé ce visage, comme les gouttes d'eau tombées du ciel sur un beau marbre l'ont à la longue défiguré. Un médecin, un auteur, un magistrat eussent pressenti tout un drame
385 à l'aspect de cette sublime horreur dont le moindre mérite était de ressembler à ces fantaisies que les peintres s'amusent à dessiner au bas de leurs pierres lithographiques[1] en causant avec leurs amis.

En voyant l'avoué, l'inconnu tressaillit par un mouvement convulsif semblable à celui qui échappe aux poètes quand un
390 bruit inattendu vient les détourner d'une féconde rêverie, au milieu du silence et de la nuit. Le vieillard se découvrit[2] promptement et se leva pour saluer le jeune homme ; le cuir qui garnissait l'intérieur de son chapeau étant sans doute fort gras, sa perruque y resta collée sans qu'il s'en aperçût, et laissa voir à nu son crâne
395 horriblement mutilé par une cicatrice transversale qui prenait à l'occiput[3] et venait mourir à l'œil droit, en formant partout une grosse couture saillante. L'enlèvement soudain de cette perruque sale, que le pauvre homme portait pour cacher sa blessure, ne donna nulle envie de rire aux deux gens de loi, tant ce crâne
400 fendu était épouvantable à voir. La première pensée que suggérait l'aspect de cette blessure était celle-ci : « Par là s'est enfuie l'intelligence ! »

« Si ce n'est pas le colonel Chabert, ce doit être un fier troupier[4] ! » pensa Boucard.

---

1. **Pierres lithographiques :** pierres qui permettent de reproduire des dessins sous forme de « lithographies ».
2. **Se découvrit :** enleva son chapeau.
3. **Occiput :** partie postérieure et inférieure de la tête.
4. **Troupier :** militaire, soldat.

Clefs d'analyse

**Du début à
« ... ce doit être un fier troupier ! pensa Boucard ».**

Action et personnages

1. Donnez le nom des clercs travaillant pour Me Derville en précisant qui est le M^e clerc et qui est le plus jeune.

2. À quoi les clercs passent-ils leur temps avant l'arrivée du « patron » ? Dans quelles conditions travaillent-ils ? Expliquez la phrase : « Tout marchait à la fois, la requête, la causerie et la conspiration. »

3. Combien de fois Chabert a-t-il déjà essayé de voir Derville ? Que peut en déduire le lecteur ?

4. Relevez au moins un passage dans lequel s'exprime l'irrespect des clercs envers le visiteur. Comment réagit ce dernier ? Expliquez l'attitude des jeunes gens.

5. Qu'apprenons-nous sur l'âge, la personnalité et les méthodes de travail de Derville ?

6. Selon, vous, l'incident de la perruque produit-il un effet dramatique ou comique ? Argumentez votre réponse en vous appuyant sur les détails du récit.

Langue

7. Relevez quelques termes appartenant au champ lexical de la justice et justifiez l'emploi massif de ce vocabulaire dans les premières pages du récit.

8. Les clercs veulent jouer un « tour », faire une « farce » au visiteur. À quel champ lexical appartiennent ces mots et que révèlent-ils des jeunes clercs ?

9. « ... Cartons [...] sur lesquels se lisaient les noms des gros clients dont les affaires juteuses se cuisinaient en ce moment » : nommez la figure de style utilisée dans cet exrtrait. Que signifie-t-elle et sous quel jour montre-t-elle le monde de la justice ?

10. Le narrateur mentionne « l'humilité » du visiteur qui regarde « modestement » autour de lui : que suggèrent ces termes sur la situation et le caractère du personnage ?

11. « Le prétendu colonel Chabert » : montrez que cette expression résume à elle seule le drame du vieux militaire.

Clefs d'analyse

Du début à
« ... ce doit être un fier troupier ! pensa Boucard ».

Genre ou thèmes

12. Isolez la description de l'étude. Relevez quelques éléments permettant de caractériser le mobilier et l'état général des lieux. Quelle image cette description renvoie-t-elle du monde de la justice ?

13. Citez au moins un passage dans lequel Balzac interrompt la narration pour s'exprimer en son propre nom. Dans quelle intention intervient-il ? Quel temps verbal signale cette rupture du récit ?

14. Comment le portrait de Chabert face à Derville est-il construit ? Quelle singularité fait-il ressortir ?

Écriture

15. Expliquez la pensée de Balzac quand il dit qu'« un observateur, et surtout un avoué [...] un médecin, un auteur, un magistrat » devineraient le drame que vit le colonel Chabert. Quel est le point commun de toutes ces professions ?

Pour aller plus loin

16. La requête sur laquelle travaillent les clercs mentionne « Sa Majesté Louis XVIII ». En vous aidant d'Internet ou d'un livre d'histoire sur le XIXᵉ siècle, réalisez une fiche informative sur ce roi de France.

✳ À retenir

Le début d'un récit, appelé « incipit », est particulièrement important car c'est là que l'auteur accroche l'intérêt de son lecteur et affiche ses principaux choix d'écriture. Dans les premières pages du *Colonel Chabert*, Balzac pose le décor et introduit les personnages principaux. Il plonge le lecteur dans la fiction par une mise en scène vivante de l'étude de Mᵉ Derville et des clercs en action. Il détermine aussi son mode de narration : récit à la 3ᵉ personne et au passé simple.

« Monsieur, lui dit Derville, à qui ai-je l'honneur de parler ?

– Au colonel Chabert.

– Lequel ?

– Celui qui est mort à Eylau », répondit le vieillard.

En entendant cette singulière phrase, le clerc et l'avoué se jetèrent un regard qui signifiait : « C'est un fou ! »

« Monsieur, reprit le colonel, je désirerais ne confier qu'à vous le secret de ma situation. »

Une chose digne de remarque est l'intrépidité naturelle aux avoués. Soit l'habitude de recevoir un grand nombre de personnes, soit le profond sentiment de la protection que les lois leur accordent, soit confiance en leur ministère[1], ils entrent partout sans rien craindre, comme les prêtres et les médecins. Derville fit un signe à Boucard, qui disparut.

« Monsieur, reprit l'avoué, pendant le jour je ne suis pas trop avare de mon temps ; mais au milieu de la nuit les minutes me sont précieuses. Ainsi, soyez bref et concis. Allez au fait sans digression[2]. Je vous demanderai moi-même les éclaircissements qui me sembleront nécessaires. Parlez. »

Après avoir fait asseoir son singulier client, le jeune homme s'assit lui-même devant la table ; mais, tout en prêtant son attention au discours du feu colonel[3], il feuilleta ses dossiers.

« Monsieur, dit le défunt, peut-être savez-vous que je commandais un régiment de cavalerie à Eylau. J'ai été pour beaucoup dans le succès de la célèbre charge[4] que fit Murat[5], et qui décida le gain de la bataille. Malheureusement pour moi, ma mort est un fait historique consigné dans les *Victoires et Conquêtes*[6], où elle est

1. **Ministère :** fonction créant des devoirs.
2. **Digression :** détour de la pensée et de la parole.
3. **Feu colonel :** le colonel décédé.
4. **Charge :** attaque.
5. **Murat :** c'est effectivement la cavalerie commandée par Murat, maréchal d'Empire et beau-frère de Napoléon, qui décida de la victoire.
6. ***Victoires et Conquêtes :*** ouvrage en 29 volumes publié entre 1817 et 1823, qui répertorie les « Désastres, Revers et Guerres civiles des Français de 1792 à 1815 ».

rapportée en détail. Nous fendîmes en deux les trois lignes russes,
qui, s'étant aussitôt reformées, nous obligèrent à les retraverser
30 en sens contraire. Au moment où nous revenions vers l'Empereur,
après avoir dispersé les Russes, je rencontrai un gros de cavalerie
ennemie. Je me précipitai sur ces entêtés-là. Deux officiers russes,
deux vrais géants, m'attaquèrent à la fois. L'un d'eux m'appliqua
sur la tête un coup de sabre qui fendit tout jusqu'à un bonnet
35 de soie noire que j'avais sur la tête, et m'ouvrit profondément le
crâne. Je tombai de cheval. Murat vint à mon secours, il me passa
sur le corps, lui et tout son monde, quinze cents hommes, excusez
du peu ! Ma mort fut annoncée à l'Empereur, qui, par prudence
(il m'aimait un peu, le patron !), voulut savoir s'il n'y aurait pas
40 quelque chance de sauver l'homme auquel il était redevable de
cette vigoureuse attaque. Il envoya, pour me reconnaître et me
rapporter aux ambulances, deux chirurgiens en leur disant, peut-
être trop négligemment, car il avait de l'ouvrage : "Allez donc voir
si, par hasard, mon pauvre Chabert vit encore ?" Ces sacrés cara-
45 bins[1], qui venaient de me voir foulé aux pieds par les chevaux de
deux régiments, se dispensèrent sans doute de me tâter le pouls
et dirent que j'étais bien mort. L'acte de mon décès fut donc probablement dressé d'après les règles établies par la jurisprudence
militaire. »

50   En entendant son client s'exprimer avec une lucidité parfaite
et raconter des faits si vraisemblables, quoique étranges, le jeune
avoué laissa ses dossiers, posa son coude gauche sur la table, se
mit la tête dans la main, et regarda le colonel fixement.

« Savez-vous, monsieur, lui dit-il en l'interrompant, que je suis
55 l'avoué de la comtesse Ferraud, veuve du colonel Chabert ?

– Ma femme ! Oui, monsieur. Aussi, après cent démarches
infructueuses chez des gens de loi qui m'ont tous pris pour un fou,
me suis-je déterminé à venir vous trouver. Je vous parlerai de mes
malheurs plus tard. Laissez-moi d'abord vous établir les faits, vous
60 expliquer plutôt comme ils ont dû se passer, que comme ils sont
arrivés. Certaines circonstances, qui ne doivent être connues que
du Père éternel[2], m'obligent à en présenter plusieurs comme des

---

1. **Carabins :** étudiants en médecine.
2. **Père éternel :** Dieu.

hypothèses. Donc, monsieur, les blessures que j'ai reçues auront probablement produit un tétanos[1], ou m'auront mis dans une crise
65 analogue à une maladie nommée, je crois, catalepsie[2]. Autrement comment concevoir que j'aie été, suivant l'usage de la guerre, dépouillé de mes vêtements, et jeté dans la fosse aux soldats par les gens chargés d'enterrer les morts ? Ici, permettez-moi de placer un détail que je n'ai pu connaître que postérieurement à l'événe-
70 ment qu'il faut bien appeler ma mort. J'ai rencontré, en 1814, à Stuttgart, un ancien maréchal des logis[3] de mon régiment. Ce cher homme, le seul qui ait voulu me reconnaître, et de qui je vous parlerai tout à l'heure, m'expliqua le phénomène de ma conservation, en me disant que mon cheval avait reçu un boulet dans le flanc au
75 moment où je fus blessé moi-même. La bête et le cavalier s'étaient donc abattus comme des capucins de cartes[4]. En me renversant, soit à droite, soit à gauche, j'avais été sans doute couvert par le corps de mon cheval qui m'empêcha d'être écrasé par les chevaux, ou atteint par des boulets. Lorsque je revins à moi, monsieur,
80 j'étais dans une position et dans une atmosphère dont je ne vous donnerais pas une idée en vous entretenant jusqu'à demain. Le peu d'air que je respirais était méphitique[5]. Je voulus me mouvoir, et ne trouvai point d'espace. En ouvrant les yeux, je ne vis rien. La rareté de l'air fut l'accident le plus menaçant, et qui m'éclaira le
85 plus vivement sur ma position. Je compris que là où j'étais, l'air ne se renouvelait point, et que j'allais mourir. Cette pensée m'ôta le sentiment de la douleur inexprimable par laquelle j'avais été réveillé. Mes oreilles tintèrent violemment. J'entendis, ou crus entendre, je ne veux rien affirmer, des gémissements poussés par
90 le monde de cadavres au milieu duquel je gisais. Quoique la mémoire de ces moments soit bien ténébreuse, quoique mes souvenirs soient bien confus, malgré les impressions de souffrances

---

1. **Tétanos :** maladie caractérisée par la rigidité, la tension de certains muscles. Elle produit une immobilité absolue.
2. **Catalepsie :** état physique caractérisé par la rigidité du visage, du tronc et des membres qui restent figés dans leur attitude d'origine.
3. **Maréchal des logis :** sous-officier dans l'artillerie ou la cavalerie.
4. **Capucins de cartes :** jeu qui consiste à faire tomber toutes les cartes placées en équilibre instable les unes au-dessus des autres, en en renversant une seule.
5. **Méphitique :** toxique et puant.

encore plus profondes que je devais éprouver et qui ont brouillé mes idées, il y a des nuits où je crois encore entendre ces soupirs étouffés ! Mais il y a eu quelque chose de plus horrible que les cris, un silence que je n'ai jamais retrouvé nulle part, le vrai silence du tombeau. Enfin, en levant les mains, en tâtant les morts, je reconnus un vide entre ma tête et le fumier humain supérieur. Je pus donc mesurer l'espace qui m'avait été laissé par un hasard dont la cause m'était inconnue. Il paraît, grâce à l'insouciance ou à la précipitation avec laquelle on nous avait jetés pêle-mêle, que deux morts s'étaient croisés au-dessus de moi de manière à décrire un angle semblable à celui de deux cartes mises l'une contre l'autre par un enfant qui pose les fondements d'un château. En furetant avec promptitude, car il ne fallait pas flâner, je rencontrai fort heureusement un bras qui ne tenait à rien, le bras d'un Hercule[1] ! un bon os auquel je dus mon salut. Sans ce secours inespéré, je périssais ! Mais, avec une rage que vous devez concevoir, je me mis à travailler les cadavres qui me séparaient de la couche de terre sans doute jetée sur nous, je dis nous, comme s'il y eût eu des vivants ! J'y allais ferme, monsieur, car me voici ! Mais je ne sais pas aujourd'hui comment j'ai pu parvenir à percer la couverture de chair qui mettait une barrière entre la vie et moi. Vous me direz que j'avais trois bras ! Ce levier, dont je me servais avec habileté, me procurait toujours un peu de l'air qui se trouvait entre les cadavres que je déplaçais, et je ménageais mes aspirations. Enfin je vis le jour, mais à travers la neige, monsieur ! En ce moment, je m'aperçus que j'avais la tête ouverte. Par bonheur, mon sang, celui de mes camarades ou la peau meurtrie de mon cheval peut-être, que sais-je ! m'avait, en se coagulant, comme enduit d'un emplâtre[2] naturel. Malgré cette croûte, je m'évanouis quand mon crâne fut en contact avec la neige. Cependant, le peu de chaleur qui me restait ayant fait fondre la neige autour de moi, je me trouvai, quand je repris connaissance, au centre d'une petite ouverture par laquelle je criai aussi longtemps que je le pus. Mais alors le soleil se levait, j'avais donc bien peu de chances pour être entendu.

---

1. **Le bras d'un Hercule :** un bras exceptionnellement fort, comme celui d'Hercule dans la mythologie romaine.
2. **Emplâtre :** ici, sorte de casque formé par le sang coagulé.

Y avait-il déjà du monde aux champs ? Je me haussais en faisant de mes pieds un ressort dont le point d'appui était sur les défunts qui avaient les reins solides. Vous sentez que ce n'était pas le moment de leur dire : *Respect au courage malheureux*[1] ! Bref, monsieur, après avoir eu la douleur, si le mot peut rendre ma rage, de voir pendant longtemps ! oh ! oui, longtemps ! ces sacrés Allemands se sauvent en entendant une voix là où ils n'apercevaient point d'homme, je fus enfin dégagé par une femme assez hardie ou assez curieuse pour s'approcher de ma tête qui semblait avoir poussé hors de terre comme un champignon. Cette femme alla chercher son mari, et tous deux me transportèrent dans leur pauvre baraque. Il paraît que j'eus une rechute de catalepsie, passez-moi cette expression pour vous peindre un état duquel je n'ai nulle idée, mais que j'ai jugé, sur les dires de mes hôtes, devoir être un effet de cette maladie. Je suis resté pendant six mois entre la vie et la mort, ne parlant pas, ou déraisonnant quand je parlais. Enfin mes hôtes me firent admettre à l'hôpital d'Heilsberg[2]. Vous comprenez, monsieur, que j'étais sorti du ventre de la fosse aussi nu que de celui de ma mère ; en sorte que, six mois après, quand, un beau matin, je me souvins d'avoir été le colonel Chabert, et qu'en recouvrant ma raison je voulus obtenir de ma garde plus de respect qu'elle n'en accordait à un pauvre diable, tous mes camarades de chambrée se mirent à rire. Heureusement pour moi, le chirurgien avait répondu, par amour-propre, de ma guérison, et s'était naturellement intéressé à son malade. Lorsque je lui parlai d'une manière suivie de mon ancienne existence, ce brave homme, nommé Sparchmann, fit constater, dans les formes juridiques voulues par le droit[3] du pays, la manière miraculeuse dont j'étais sorti de la fosse des morts, le jour et l'heure où j'avais été trouvé par ma bienfaitrice et par son mari ; le genre, la position exacte de mes blessures, en joignant à ces différents procès-verbaux[4] une description de ma personne. Eh bien, monsieur, je n'ai ni ces pièces importantes, ni la déclaration que j'ai faite chez un notaire d'Heils-

---

1. **Respect au courage malheureux :** paroles attribuées à Napoléon.
2. **Heilsberg :** ville de la Prusse orientale ; proche d'Eylau.
3. **Le droit :** les lois.
4. **Procès-verbaux :** témoignages descriptifs et objectifs.

berg, en vue d'établir mon identité ! Depuis le jour où je fus chassé de cette ville par les événements de la guerre, j'ai constamment erré comme un vagabond, mendiant mon pain, traité de fou lorsque je racontais mon aventure, et sans avoir ni trouvé, ni gagné un sou pour me procurer les actes qui pouvaient prouver mes dires, et me rendre à la vie sociale. Souvent, mes douleurs me retenaient durant des semestres entiers dans de petites villes où l'on prodiguait des soins au Français malade, mais où l'on riait au nez de cet homme dès qu'il prétendait être le colonel Chabert. Pendant longtemps ces rires, ces doutes me mettaient dans une fureur qui me nuisit et me fit même enfermer comme fou à Stuttgart[1]. À la vérité, vous pouvez juger, d'après mon récit, qu'il y avait des raisons suffisantes pour faire coffrer[2] un homme ! Après deux ans de détention que je fus obligé de subir, après avoir entendu mille fois mes gardiens disant : "Voilà un pauvre homme qui croit être le colonel Chabert !" à des gens qui répondaient : "Le pauvre homme !" je fus convaincu de l'impossibilité de ma propre aventure, je devins triste, résigné, tranquille, et renonçai à me dire le colonel Chabert, afin de pouvoir sortir de prison et revoir la France. Oh ! monsieur, revoir Paris ! c'était un délire que je ne... »

À cette phrase inachevée, le colonel Chabert tomba dans une rêverie profonde que Derville respecta.

« Monsieur, un beau jour, reprit le client, un jour de printemps, on me donna la clef des champs[3] et dix thalers[4], sous prétexte que je parlais très sensément[5] sur toutes sortes de sujets et que je ne me disais plus le colonel Chabert. Ma foi, vers cette époque, et encore aujourd'hui, par moments, mon nom m'est désagréable. Je voudrais n'être pas moi. Le sentiment de mes droits me tue. Si ma maladie m'avait ôté tout souvenir de mon existence passée, j'aurais été heureux ! J'eusse repris du service sous un nom quel-

---

1. **Stuttgart :** ville du sud de l'Allemagne.
2. **Coffrer :** terme familier pour « emprisonner ».
3. **On me donna la clef des champs :** on me libéra.
4. **Thaler :** monnaie allemande de l'époque.
5. **Sensément :** avec bon sens.

190   conque, et qui sait ? je serais peut-être devenu feld-maréchal[1] en
Autriche ou en Russie.

    – Monsieur, dit l'avoué, vous brouillez toutes mes idées. Je
crois rêver en vous écoutant. De grâce, arrêtons-nous pendant un
moment.

195   – Vous êtes, dit le colonel d'un air mélancolique, la seule personne qui m'ait si patiemment écouté. Aucun homme de loi n'a
voulu m'avancer dix napoléons[2] afin de faire venir d'Allemagne les
pièces nécessaires pour commencer mon procès...

    – Quel procès ? dit l'avoué, qui oubliait la situation douloureuse
200 de son client en entendant le récit de ses misères passées.

    – Mais, monsieur, la comtesse Ferraud n'est-elle pas ma femme !
Elle possède trente mille livres de rente[3] qui m'appartiennent, et
ne veut pas me donner deux liards[4]. Quand je dis ces choses à
des avoués, à des hommes de bon sens ; quand je propose, moi,
205 mendiant, de plaider contre un comte et une comtesse ; quand je
m'élève, moi, mort, contre un acte de décès, un acte de mariage
et des actes de naissance, ils m'éconduisent[5], suivant leur caractère, soit avec cet air froidement poli que vous savez prendre pour
vous débarrasser d'un malheureux, soit brutalement, en gens qui
210 croient rencontrer un intrigant ou un fou. J'ai été enterré sous des
morts, mais maintenant je suis enterré sous des vivants, sous des
actes, sous des faits, sous la société tout entière, qui veut me faire
rentrer sous terre !

    – Monsieur, veuillez poursuivre maintenant, dit l'avoué.

215   – *Veuillez*, s'écria le malheureux vieillard en prenant la main
du jeune homme, voilà le premier mot de politesse que j'entends
depuis... »

---

1. **Feld-maréchal :** équivalent du grade de maréchal dans les armées russe et
autrichienne.
2. **Napoléons :** pièces d'or à l'effigie de l'Empereur.
3. **Trente mille livres de rente :** somme considérable que produisent chaque année
les propriétés et possessions de la comtesse.
4. **Liard :** petite monnaie sans valeur.
5. **M'éconduisent :** verbe « éconduire », repousser, chasser.

Le colonel pleura. La reconnaissance étouffa sa voix. Cette pénétrante et indicible[1] éloquence[2] qui est dans le regard, dans le geste,
220 dans le silence même, acheva de convaincre Derville et le toucha
vivement.

« Écoutez, monsieur, dit-il à son client, j'ai gagné ce soir trois
cents francs au jeu ; je puis bien employer la moitié de cette
somme à faire le bonheur d'un homme. Je commencerai les pour-
225 suites et diligences[3] nécessaires pour vous procurer les pièces dont
vous me parlez, et jusqu'à leur arrivée je vous remettrai cent sous
par jour. Si vous êtes le colonel Chabert, vous saurez pardonner
la modicité[4] du prêt à un jeune homme qui a sa fortune à faire.
Poursuivez. »

230 Le prétendu colonel resta pendant un moment immobile et
stupéfait : son extrême malheur avait sans doute détruit ses
croyances. S'il courait après son illustration[5] militaire, après sa
fortune, après lui-même, peut-être était-ce pour obéir à ce sentiment inexplicable, en germe dans le cœur de tous les hommes,
235 et auquel nous devons les recherches des alchimistes[6], la passion
de la gloire, les découvertes de l'astronomie, de la physique, tout
ce qui pousse l'homme à se grandir en se multipliant par les faits
ou par les idées. L'*ego*[7], dans sa pensée, n'était plus qu'un objet
secondaire, de même que la vanité du triomphe ou le plaisir du
240 gain deviennent plus chers au parieur que ne l'est l'objet du pari.
Les paroles du jeune avoué furent donc comme un miracle pour
cet homme rebuté[8] pendant dix années par sa femme, par la justice, par la création sociale entière. Trouver chez un avoué ces dix
pièces d'or qui lui avaient été refusées pendant si longtemps, par
245 tant de personnes et de tant de manières ! Le colonel ressemblait

---

1. **Indicible :** impossible à exprimer.
2. **Éloquence :** expressivité, talent de celui qui sait s'exprimer et toucher son
   destinataire.
3. **Poursuites et diligences :** attaques en justice.
4. **Modicité :** petitesse.
5. **Illustration :** du verbe « s'illustrer », accomplir des actes remarquables.
6. **Alchimistes :** ceux qui pratiquent l'alchimie, science occulte qui cherche la formule permettant de transformer les métaux en or.
7. **L'ego :** le moi.
8. **Rebuté :** rejeté.

à cette dame qui, ayant eu la fièvre durant quinze années, crut avoir changé de maladie le jour où elle fut guérie. Il est des félicités[1] auxquelles on ne croit plus ; elles arrivent, c'est la foudre, elles consument. Aussi la reconnaissance du pauvre homme était-elle trop vive pour qu'il pût l'exprimer. Il eût paru froid aux gens superficiels, mais Derville devina toute une probité[2] dans cette stupeur. Un fripon aurait eu de la voix[3].

« Où en étais-je ? dit le colonel avec la naïveté d'un enfant ou d'un soldat, car il y a souvent de l'enfant dans le vrai soldat, et presque toujours du soldat chez l'enfant, surtout en France.

– À Stuttgart. Vous sortiez de prison, répondit l'avoué.

– Vous connaissez ma femme ? demanda le colonel.

– Oui, répliqua Derville en inclinant la tête.

– Comment est-elle ?

– Toujours ravissante. »

Le vieillard fit un signe de main, et parut dévorer quelque secrète douleur avec cette résignation grave et solennelle qui caractérise les hommes éprouvés dans le sang et le feu des champs de bataille.

« Monsieur », dit-il avec une sorte de gaieté ; car il respirait, ce pauvre colonel, il sortait une seconde fois de la tombe, il venait de fondre une couche de neige moins soluble que celle qui jadis lui avait glacé la tête, et il aspirait l'air comme s'il quittait un cachot. « Monsieur, dit-il, si j'avais été joli garçon, aucun de mes malheurs ne me serait arrivé. Les femmes croient les gens quand ils farcissent leurs phrases du mot amour. Alors elles trottent, elles vont, elles se mettent en quatre, elles intriguent, elles affirment les faits, elles font le diable[4] pour celui qui leur plaît. Comment aurais-je pu intéresser une femme ? J'avais une face de *requiem*[5], j'étais vêtu

---

1. **Félicités :** bonheurs.
2. **Probité :** honnêteté.
3. **Aurait eu de la voix :** se serait exprimé avec force.
4. **Elles font le diable :** elles font tous les efforts possibles.
5. **Une face de *requiem* :** un visage sans attraits, triste et gris (du latin *requiem*, repos, mot emprunté à la prière pour les morts).

275 comme un sans-culotte[1], je ressemblais plutôt à un Esquimau qu'à
un Français, moi qui jadis passais pour le plus joli des muscadins[2],
en 1799 ! Moi, Chabert, comte de l'Empire ! Enfin, le jour même où
l'on me jeta sur le pavé comme un chien, je rencontrai le maréchal
des logis de qui je vous ai déjà parlé. Le camarade se nommait
280 Boutin. Le pauvre diable et moi faisions la plus belle paire de
rosses[3] que j'aie jamais vue ; je l'aperçus à la promenade, si je le
reconnus, il lui fut impossible de deviner qui j'étais. Nous allâmes
ensemble dans un cabaret. Là, quand je me nommai, la bouche de
Boutin se fendit en éclats de rire comme un mortier[4] qui crève.
285 Cette gaieté, monsieur, me causa l'un de mes plus vifs chagrins !
Elle me révélait sans fard tous les changements qui étaient survenus en moi ! J'étais donc méconnaissable, même pour l'œil du plus
humble et du plus reconnaissant de mes amis ! jadis j'avais sauvé
la vie à Boutin, mais c'était une revanche que je lui devais. Je ne
290 vous dirai pas comment il me rendit ce service. La scène eut lieu
en Italie, à Ravenne. La maison où Boutin m'empêcha d'être poi-
gnardé n'était pas une maison fort décente[5]. À cette époque je
n'étais pas colonel, j'étais simple cavalier, comme Boutin.
Heureusement cette histoire comportait des détails qui ne pou-
295 vaient être connus que de nous seuls ; et, quand je les lui rappelai,
son incrédulité diminua. Puis je lui contai les accidents de ma
bizarre existence. Quoique mes yeux, ma voix fussent, me dit-il,
singulièrement altérés[6], que je n'eusse plus ni cheveux, ni dents, ni
sourcils, que je fusse blanc comme un albinos, il finit par retrouver
300 son colonel dans le mendiant, après mille interrogations auxquelles je répondis victorieusement. Il me raconta ses aventures,
elles n'étaient pas moins extraordinaires que les miennes : il revenait des confins de la Chine, où il avait voulu pénétrer après s'être
échappé de la Sibérie. Il m'apprit les désastres de la campagne de

---

1. **J'étais vêtu comme un sans-culotte :** allusion au pantalon des révolutionnaires
   français en 1789, par opposition à la culotte courte que portaient les nobles de
   l'Ancien Régime.
2. **Muscadins :** joli garçon, raffiné dans ses manières et son costume.
3. **Rosses :** mauvais chevaux ; ici, vauriens, hommes sans qualités.
4. **Mortier :** canon qui sert à lancer des obus.
5. **N'était pas une maison fort décente :** était une maison de prostitution.
6. **Altérés :** abîmés.

305 Russie[1] et la première abdication de Napoléon[2]. Cette nouvelle est une des choses qui m'ont fait le plus de mal ! Nous étions deux débris curieux après avoir ainsi roulé sur le globe comme roulent dans l'Océan les cailloux emportés d'un rivage à l'autre par les tempêtes. À nous deux nous avions vu l'Égypte, la Syrie, l'Espagne, 310 la Russie, la Hollande, l'Allemagne, l'Italie, la Dalmatie, l'Angleterre, la Chine, la Tartarie, la Sibérie ; il ne nous manquait que d'être allés dans les Indes et en Amérique ! Enfin, plus ingambe[3] que je ne l'étais, Boutin se chargea d'aller à Paris le plus lestement[4] possible afin d'instruire ma femme de l'état dans lequel je me trou-315 vais. J'écrivis à Mme Chabert une lettre bien détaillée. C'était la quatrième, monsieur ! si j'avais eu des parents, tout cela ne serait peut-être pas arrivé ; mais, il faut vous l'avouer, je suis un enfant d'hôpital[5], un soldat qui pour patrimoine avait son courage, pour famille tout le monde, pour patrie la France, pour tout protecteur 320 le bon Dieu. Je me trompe ! j'avais un père, l'Empereur ! Ah ! s'il était debout, le cher homme ! et qu'il vît *son Chabert*, comme il me nommait, dans l'état où je suis, mais il se mettrait en colère. Que voulez-vous ! notre soleil s'est couché, nous avons tous froid maintenant. Après tout, les événements politiques pouvaient justi-325 fier le silence de ma femme ! Boutin partit. Il était bien heureux, lui ! Il avait deux ours blancs supérieurement dressés qui le faisaient vivre. Je ne pouvais l'accompagner ; mes douleurs ne me permettaient pas de faire de longues étapes. Je pleurai, monsieur, quand nous nous séparames, après avoir marché aussi longtemps 330 que mon état put me le permettre en compagnie de ses ours et de lui. À Karlsruhe[6] j'eus un accès de névralgie[7] à la tête, et restai six semaines sur la paille dans une auberge ! Je ne finirais pas, monsieur, s'il fallait vous raconter tous les malheurs de ma vie de mendiant. Les souffrances morales, auprès desquelles pâlissent les dou-335 leurs physiques, excitent cependant moins de pitié, parce qu'on ne

---

1. **La campagne de Russie :** en 1812.
2. **La première abdication de Napoléon :** le 6 avril 1814, à Fontainebleau.
3. **Ingambe :** vaillant.
4. **Lestement :** rapidement.
5. **Enfant d'hôpital :** enfant trouvé.
6. **Karlsruhe :** ville située au sud-ouest de l'Allemagne.
7. **Névralgie :** forte douleur.

les voit point. Je me souviens d'avoir pleuré devant un hôtel de Strasbourg où j'avais donné jadis une fête, et où je n'obtins rien, pas même un morceau de pain. Ayant déterminé de concert avec[1] Boutin l'itinéraire que je devais suivre, j'allais à chaque bureau de
340 poste demander s'il y avait une lettre et de l'argent pour moi. Je vins jusqu'à Paris sans avoir rien trouvé. Combien de désespoirs ne m'a-t-il pas fallu dévorer ! "Boutin sera mort", me disais-je. En effet, le pauvre diable avait succombé à Waterloo[2]. J'appris sa mort plus tard et par hasard. Sa mission auprès de ma femme fut sans doute
345 infructueuse. Enfin j'entrai dans Paris en même temps que les Cosaques[3]. Pour moi c'était douleur sur douleur. En voyant les Russes en France, je ne pensais plus que je n'avais ni souliers aux pieds ni argent dans ma poche. Oui, monsieur, mes vêtements étaient en lambeaux. La veille de mon arrivée je fus forcé de
350 bivouaquer[4] dans les bois de Claye[5]. La fraîcheur de la nuit me causa sans doute un accès de je ne sais quelle maladie, qui me prit quand je traversai le faubourg Saint-Martin. Je tombai presque évanoui à la porte d'un marchand de fer. Quand je me réveillai j'étais dans un lit à l'Hôtel-Dieu[6]. Là je restai pendant un mois assez heu-
355 reux. Je fus bientôt renvoyé. J'étais sans argent, mais bien portant et sur le bon pavé de Paris. Avec quelle joie et quelle promptitude j'allai rue du Mont-Blanc, où ma femme devait être logée dans un hôtel[7] à moi ! Bah ! la rue du Mont-Blanc était devenue la rue de la Chaussée-d'Antin[8]. Je n'y vis plus mon hôtel, il avait été vendu,
360 démoli. Des spéculateurs[9] avaient bâti plusieurs maisons dans mes jardins. Ignorant que ma femme fût mariée à M. Ferraud, je ne

---

1. **De concert avec :** en accord avec.
2. **Waterloo :** défaite de Napoléon vaincu par les Anglais le 18 juin 1815.
3. **En même temps que les Cosaques :** soldats de la cavalerie russe qui entrèrent dans Paris le 6 juillet 1815.
4. **Bivouaquer :** camper.
5. **Claye :** en Seine-et-Marne.
6. **L'Hôtel-Dieu :** le plus ancien hôpital parisien.
7. **Hôtel :** hôtel particulier, c'est-à-dire demeure luxueuse.
8. **Rue de la Chaussée-d'Antin :** aujourd'hui dans le IXe arrondissement de Paris, cette rue accueillait les nouveaux riches de la Restauration.
9. **Spéculateurs :** personnes qui font des opérations financières, commerciales ou immobilières pour réaliser des profits considérables en très peu de temps.

pouvais obtenir aucun renseignement. Enfin je me rendis chez un vieil avocat qui jadis était chargé de mes affaires. Le bonhomme était mort après avoir cédé sa clientèle à un jeune homme. Celui-ci
365 m'apprit, à mon grand étonnement, l'ouverture de ma succession[1], sa liquidation[2], le mariage de ma femme et la naissance de ses deux enfants. Quand je lui dis être le colonel Chabert, il se mit à rire si franchement que je le quittai sans lui faire la moindre observation. Ma détention de Stuttgart me fit songer à Charenton[3], et je
370 résolus d'agir avec prudence. Alors, monsieur, sachant où demeurait ma femme, je m'acheminai vers son hôtel, le cœur plein d'espoir. Eh bien, dit le colonel avec un mouvement de rage concentrée, je n'ai pas été reçu lorsque je me fis annoncer sous un nom d'emprunt, et le jour où je pris le mien je fus consigné à sa porte.
375 Pour voir la comtesse rentrant du bal ou du spectacle, au matin, je suis resté pendant des nuits entières collé contre la borne de sa porte cochère. Mon regard plongeait dans cette voiture qui passait devant mes yeux avec la rapidité de l'éclair, et où j'entrevoyais à peine cette femme qui est mienne et qui n'est plus à moi ! Oh ! dès
380 ce jour j'ai vécu pour la vengeance, s'écria le vieillard d'une voix sourde en se dressant tout à coup devant Derville. Elle sait que j'existe ; elle a reçu de moi, depuis mon retour, deux lettres écrites par moi-même. Elle ne m'aime plus ! Moi, j'ignore si je l'aime ou si je la déteste ! Je la désire et la maudis tour à tour. Elle me doit sa
385 fortune, son bonheur ; eh bien, elle ne m'a pas seulement fait parvenir le plus léger secours ! Par moments je ne sais plus que devenir ! »

À ces mots, le vieux soldat retomba sur sa chaise, et redevint immobile. Derville resta silencieux, occupé à contempler son
390 client.

« L'affaire est grave, dit-il enfin machinalement. Même en admettant l'authenticité des pièces qui doivent se trouver à Heilsberg, il ne m'est pas prouvé que nous puissions triompher tout d'abord. Le

---

1. **Succession :** transfert des biens appartenant à une personne décédée.
2. **Liquidation :** traitement de la succession par répartition des biens aux différents héritiers.
3. **Charenton :** hôpital psychiatrique.

procès ira successivement devant trois tribunaux. Il faut réfléchir à
tête reposée sur une semblable cause, elle est tout exceptionnelle.

– Oh ! répondit froidement le colonel en relevant la tête par un
mouvement de fierté, si je succombe, je saurai mourir, mais en
compagnie. »

Là, le vieillard avait disparu. Les yeux de l'homme énergique
brillaient rallumés aux feux du désir et de la vengeance.

« Il faudra peut-être transiger[1], dit l'avoué.

– Transiger, répéta le colonel Chabert. Suis-je mort ou suis-je
vivant ?

– Monsieur, reprit l'avoué, vous suivrez, je l'espère, mes conseils.
Votre cause sera ma cause. Vous vous apercevrez bientôt de l'intérêt que je prends à votre situation, presque sans exemple dans les
fastes[2] judiciaires. En attendant, je vais vous donner un mot pour
mon notaire, qui vous remettra, sur votre quittance[3], cinquante
francs tous les dix jours. Il ne serait pas convenable que vous vins-
siez chercher ici des secours. Si vous êtes le colonel Chabert, vous
ne devez être à la merci de personne. Je donnerai à ces avances
la forme d'un prêt. Vous avez des biens à recouvrer[4], vous êtes
riche. »

Cette dernière délicatesse arracha des larmes au vieillard.
Derville se leva brusquement, car il n'était peut-être pas de cou-
tume qu'un avoué parût s'émouvoir ; il passa dans son cabinet,
d'où il revint avec une lettre non cachetée qu'il remit au comte
Chabert. Lorsque le pauvre homme la tint entre ses doigts, il sentit
deux pièces d'or à travers le papier.

« Voulez-vous me désigner les actes, me donner le nom de la
ville, du royaume ? » dit l'avoué.

Le colonel dicta les renseignements en vérifiant l'orthographe
des noms de lieux ; puis, il prit son chapeau d'une main, regarda
Derville, lui tendit l'autre main, une main calleuse[5], et lui dit

---

1. **Transiger :** trouver un accord en faisant des concessions.
2. **Fastes :** registres.
3. **Quittance :** attestation écrite reconnaissant le paiement d'une somme due.
4. **Recouvrer :** retrouver.
5. **Calleuse :** épaisse et rugueuse.

425 d'une voix simple : « Ma foi, monsieur, après l'Empereur, vous êtes l'homme auquel je devrai le plus ! Vous êtes *un brave*. »

L'avoué frappa dans la main du colonel, le reconduisit jusque sur l'escalier et l'éclaira.

« Boucard, dit Derville à son Maître clerc, je viens d'entendre une 430 histoire qui me coûtera peut-être vingt-cinq louis. Si je suis volé, je ne regretterai pas mon argent, j'aurai vu le plus habile comédien de notre époque. »

Quand le colonel se trouva dans la rue et devant un réverbère, il retira de la lettre les deux pièces de vingt francs que l'avoué lui 435 avait données, et les regarda pendant un moment à la lumière. Il revoyait de l'or pour la première fois depuis neuf ans.

« Je vais donc pouvoir fumer des cigares », se dit-il.

Clefs d'analyse

Action et personnages

1. Pour quelle raison Chabert passe-t-il d'abord pour un fou aux yeux de Derville et de Boucard ?

2. Quel rôle essentiel a joué Chabert dans la victoire de Napoléon à Eylau ? Peut-on parler d'héroïsme au sujet du colonel ?

3. À quels éléments le colonel doit-il sa survie dans la fosse où il a été jeté ? Lorsqu'il émerge à la surface de la terre, quelles circonstances jouent en sa faveur ?

4. Retracez le parcours du colonel après le miracle de sa survie : lieux, durée de séjour, conditions de vie. Quand et dans quel état revient-il à Paris ?

5. Pour quelle raison Chabert est-il dans l'impossibilité de prouver son identité ? Comment les gens réagissent-ils quand il certifie être le colonel Chabert ? Finalement, pourquoi décide-t-il de renoncer à son identité ?

6. Dans quelle situation se trouve le colonel Chabert ? Qu'a-t-il perdu ? Que veut-il récupérer ?

7. Quel rôle joue Boutin dans la vie de Chabert ?

8. Que s'est-il passé à Paris durant la longue absence de Chabert ?

9. Qu'apprenons-nous de l'ex-femme de Chabert ?

10. En quels termes Derville s'engage-t-il à défendre la cause de Chabert ? Est-il vraiment sûr que Chabert a dit la vérité ? Comment se traduit la générosité de l'avoué ?

Langue

11. Quel temps verbal utilise Derville quand il demande à Chabert de présenter son cas ? Quel trait de caractère souligne cet emploi ?

12. Sur quelle contradiction est construite la phrase : « Monsieur, dit le défunt » ? À votre avis, cette phrase est-elle chargée d'humour ? Expliquez-vous.

13. Quelles pensées éveillent en vous la comparaison « ma tête qui semblait avoir poussé hors de terre comme un champignon » ?

14. Quels sentiments Chabert éprouve-t-il pour Napoléon ? Relevez quelques expressions significatives.

15. Pourquoi le verbe « transiger » a-t-il valeur d'avertissement dans les conseils de Derville à Chabert ?

Genre ou thèmes

16. Qui parle et qui écoute dans cette scène ? Isolez et justifiez les principales interventions de Derville durant le long récit de Chabert.

17. Citez quelques détails du récit de Chabert inscrivant la narration dans le registre de l'épouvante. Quelles émotions soulèvent ces passages ?

Écriture

18. « Comment aurais-je pu intéresser une femme ? », demande Chabert désormais défiguré et marqué par la misère. Selon vous, quel rôle joue la beauté dans une rencontre amoureuse ? Est-elle indispensable ? Argumentez votre point de vue en faisant référence à votre expérience, à des films ou à des lectures.

19. Derville juge l'affaire de Chabert « grave » et « exceptionnelle ». Expliquez ce point de vue à la lumière de ce que vous savez de la situation.

Pour aller plus loin

20. En vous aidant de la rubrique « Pour mieux lire l'œuvre » de votre Petit Classique, présentez la bataille d'Eylau.

> ## ✳ À retenir
>
> Le registre de l'épouvante qui baigne le récit du colonel Chabert est destiné à impressionner le lecteur, à lui inspirer l'effroi, l'inquiétude, le dégoût à travers des descriptions réalistes qui s'attardent sur les détails les plus horribles. Ce registre privilégie le champ lexical de la mort et des ténèbres ; il évoque la lutte de l'homme avec des puissances macabres qui cherchent à l'anéantir.

Environ trois mois après cette consultation nuitamment faite par le colonel Chabert chez Derville, le notaire[1] chargé de payer la demi-solde[2] que l'avoué faisait à son singulier client vint le voir pour conférer[3] sur une affaire grave, et commença par lui réclamer
5   six cents francs donnés au vieux militaire.

« Tu t'amuses donc à entretenir l'ancienne armée ? lui dit en riant ce notaire nommé Crottat, jeune homme qui venait d'acheter l'étude où il était Maître clerc, et dont le patron venait de prendre la fuite en faisant une épouvantable faillite.

10 – Je te remercie, mon cher maître[4], répondit Derville, de me rappeler cette affaire-là. Ma philanthropie[5] n'ira pas au-delà de vingt-cinq louis, je crains déjà d'avoir été la dupe de mon patriotisme. »

Au moment où Derville achevait sa phrase, il vit sur son bureau les paquets que son Maître clerc y avait mis. Ses yeux furent frap-
15 pés à l'aspect des timbres oblongs[6], carrés, triangulaires, rouges, bleus, apposés sur une lettre par les postes prussienne, autrichienne, bavaroise[7] et française.

« Ah ! dit-il en riant, voici le dénouement de la comédie, nous allons voir si je suis attrapé. » Il prit la lettre et l'ouvrit, mais il n'y
20 put rien lire, elle était écrite en allemand. « Boucard, allez vous-même faire traduire cette lettre, et revenez promptement », dit Derville en entrouvrant la porte de son cabinet et tendant la lettre à son Maître clerc.

Le notaire de Berlin auquel s'était adressé l'avoué lui annon-
25 çait que les actes dont les expéditions étaient demandées lui parviendraient quelques jours après cette lettre d'avis. Les pièces étaient, disait-il, parfaitement en règle, et revêtues des légalisa-

---

1. **Notaire :** professionnel du droit qui rédige l'acte de vente d'un bien immobilier, l'établissement d'un contrat de mariage, d'une succession, etc.
2. **Demi-solde :** solde (salaire) réduite d'un militaire qui n'est pas en activité.
3. **Conférer :** discuter.
4. **Maître :** titre donné à un avoué ou à un notaire.
5. **Philanthropie :** amour de l'humanité.
6. **Oblongs :** plus longs que larges.
7. **Bavaroise :** qui vient de Bavière, territoire situé au sud-est de l'Allemagne.

tions[1] nécessaires pour faire foi en justice. En outre, il lui mandait[2] que presque tous les témoins des faits consacrés par les procès-verbaux existaient à Prussich-Eylau ; et que la femme à laquelle M. le comte Chabert devait la vie vivait encore dans un des faubourgs d'Heilsberg.

« Ceci devient sérieux », s'écria Derville quand Boucard eut fini de lui donner la substance de la lettre. « Mais, dis donc, mon petit, reprit-il en s'adressant au notaire, je vais avoir besoin de renseignements qui doivent être en ton étude. N'est-ce pas chez ce vieux fripon de Roguin...

– Nous disons l'infortuné, le malheureux Roguin, reprit Me Alexandre Crottat en riant et interrompant Derville.

– N'est-ce pas chez cet infortuné qui vient d'emporter huit cent mille francs à ses clients et de réduire plusieurs familles au désespoir, que s'est faite la liquidation de la succession Chabert ? Il me semble que j'ai vu cela dans nos pièces Ferraud.

– Oui, répondit Crottat, j'étais alors troisième clerc, je l'ai copiée et bien étudiée, cette liquidation. Rose Chapotel, épouse et veuve de Hyacinthe, dit Chabert, comte de l'Empire, grand officier de la Légion d'honneur ; ils s'étaient mariés sans contrat, ils étaient donc communs en biens. Autant que je puis m'en souvenir, l'actif[3] s'élevait à six cent mille francs. Avant son mariage, le comte Chabert avait fait un testament en faveur des hospices de Paris, par lequel il leur attribuait le quart de la fortune qu'il posséderait au moment de son décès, le domaine[4] héritait de l'autre quart. Il y a eu licitation, vente et partage, parce que les avoués sont allés bon train. Lors de la liquidation, le monstre qui gouvernait alors la France[5] a rendu par un décret[6] la portion du fisc[7] à la veuve du colonel.

– Ainsi la fortune personnelle du comte Chabert ne se monterait donc qu'à trois cent mille francs.

---

1. **Légalisations :** certificats d'authenticité attestant l'origine des documents.
2. **Mandait :** faisait savoir.
3. **L'actif :** la fortune.
4. **Le domaine :** l'administration qui reçoit les impôts.
5. **Le monstre qui gouvernait alors la France :** Napoléon tel qu'il est considéré par les royalistes.
6. **Décret :** arrêté, décision du pouvoir.
7. **La portion du fisc :** la part prélevée par les impôts.

– Par conséquent, mon vieux ! répondit Crottat. Vous avez parfois l'esprit juste, vous autres avoués, quoiqu'on vous accuse de vous le fausser en plaidant aussi bien le Pour que le Contre[1]. »

Le comte Chabert, dont l'adresse se lisait au bas de la première quittance que lui avait remise le notaire, demeurait dans le faubourg Saint-Marceau, rue du Petit-Banquier, chez un vieux maréchal des logis de la Garde impériale, devenu nourrisseur[2], et nommé Vergniaud. Arrivé là, Derville fut forcé d'aller à pied à la recherche de son client ; car son cocher refusa de s'engager dans une rue non pavée et dont les ornières[3] étaient un peu trop profondes pour les roues d'un cabriolet[4]. En regardant de tous les côtés, l'avoué finit par trouver, dans la partie de cette rue qui avoisine le boulevard, entre deux murs bâtis avec des ossements et de la terre, deux mauvais pilastres[5] en moellons[6], que le passage des voitures avait ébréchés, malgré deux morceaux de bois placés en forme de bornes. Ces pilastres soutenaient une poutre couverte d'un chaperon[7] en tuiles, sur laquelle ces mots étaient écrits en rouge : VERGNIAUD, NOURICEURE. À droite de ce nom, se voyaient des œufs, et à gauche une vache, le tout peint en blanc. La porte était ouverte et restait sans doute ainsi pendant toute la journée. Au fond d'une cour assez spacieuse, s'élevait, en face de la porte, une maison, si toutefois ce nom convient à l'une de ces masures[8] bâties dans les faubourgs[9] de Paris, et qui ne sont comparables à rien, pas même aux plus chétives[10] habitations de la campagne,

---

1. **Le Pour que le Contre :** les avocats sont capables d'argumenter aussi bien en faveur d'une affaire que contre, leur métier étant de défendre la cause du client qui les paie.
2. **Nourrisseur :** métier qui consiste alors à nourrir des vaches et des ânesses à l'étable dans les grandes villes ou dans leurs alentours pour faire commerce de leur lait.
3. **Ornières :** traces creuses laissées par les roues des voitures sur la terre.
4. **Cabriolet :** voiture légère à deux roues.
5. **Pilastres :** piliers plats faisant saillie dans un mur.
6. **Moellons :** pierres qui, mélangées à du mortier (ciment, sable et eau), servent à maçonner un mur.
7. **Chaperon :** couronnement d'un mur en forme de toit.
8. **Masures :** maisons très modestes et en mauvais état.
9. **Faubourgs :** environs.
10. **Chétives :** misérables.

dont elles ont la misère sans en avoir la poésie. En effet, au milieu des champs, les cabanes ont encore une grâce que leur donnent la pureté de l'air, la verdure, l'aspect des champs, une colline, un che-
85   min tortueux, des vignes, une haie vive[1], la mousse des chaumes[2], et les ustensiles champêtres ; mais à Paris la misère ne se grandit que par son horreur. Quoique récemment construite, cette maison semblait près de tomber en ruine. Aucun des matériaux n'y avait eu sa vraie destination, ils provenaient tous des démolitions qui
90   se font journellement dans Paris. Derville lut sur un volet fait avec les planches d'une enseigne : *Magasin de nouveautés*. Les fenêtres ne se ressemblaient point entre elles et se trouvaient bizarrement placées. Le rez-de-chaussée, qui paraissait être la partie habitable, était exhaussé[3] d'un côté, tandis que de l'autre les chambres
95   étaient enterrées par une éminence[4]. Entre la porte et la maison s'étendait une mare pleine de fumier où coulaient les eaux plu-viales et ménagères. Le mur sur lequel s'appuyait ce chétif logis, et qui paraissait être plus solide que les autres, était garni de cabanes grillagées où de vrais lapins faisaient leurs nombreuses familles. À
100 droite de la porte cochère[5] se trouvait la vacherie[6] surmontée d'un grenier à fourrages[7], et qui communiquait à la maison par une laiterie. À gauche étaient une basse-cour, une écurie et un toit à cochons qui avait été fini, comme celui de la maison, en mauvaises planches de bois blanc clouées les unes sur les autres, et mal
105 recouvertes avec du jonc[8]. Comme presque tous les endroits où se cuisinent les éléments du grand repas que Paris dévore chaque jour, la cour dans laquelle Derville mit le pied offrait les traces de la précipitation voulue par la nécessité d'arriver à heure fixe. Ces grands vases de fer-blanc[9] bossués dans lesquels se transporte

---

1. **Haie vive :** haie large et touffue, non taillée.
2. **Chaume :** partie de la tige des céréales qui restent sur le champ après la moisson.
3. **Exhaussé :** surélevé.
4. **Éminence :** élévation du terrain, butte.
5. **Porte cochère :** grande porte par laquelle entrent les voitures.
6. **Vacherie :** lieu où l'on trait les vaches et où l'on vend du lait.
7. **Fourrages :** foins récoltés et séchés pour l'hiver.
8. **Jonc :** herbe caractérisée par ses longues tiges sans feuille. Elle pousse dans les lieux humides.
9. **Fer-blanc :** tôle de fer ou d'acier, recouverte d'une couche d'étain.

110 le lait, et les pots qui contiennent la crème, étaient jetés pêle-
mêle devant la laiterie, avec leurs bouchons de linge. Les loques[1]
trouées qui servaient à les essuyer flottaient au soleil étendues
sur des ficelles attachées à des piquets. Ce cheval pacifique, dont
la race ne se trouve que chez les laitières, avait fait quelques pas
115 en avant de sa charrette et restait devant l'écurie, dont la porte
était fermée. Une chèvre broutait le pampre[2] de la vigne grêle[3] et
poudreuse[4] qui garnissait le mur jaune et lézardé de la maison. Un
chat était accroupi sur les pots à crème et les léchait. Les poules,
effarouchées à l'approche de Derville, s'envolèrent en criant, et le
120 chien de garde aboya.

« L'homme qui a décidé le gain[5] de la bataille d'Eylau serait là ! »
se dit Derville en saisissant d'un seul coup d'œil l'ensemble de ce
spectacle ignoble.

La maison était restée sous la protection de trois gamins. L'un,
125 grimpé sur le faîte[6] d'une charrette chargée de fourrage vert, jetait
des pierres dans un tuyau de cheminée de la maison voisine,
espérant qu'elles y tomberaient dans la marmite. L'autre essayait
d'amener un cochon sur le plancher de la charrette qui touchait
à terre, tandis que le troisième pendu à l'autre bout attendait que
130 le cochon y fût placé pour l'enlever en faisant faire la bascule à
la charrette. Quand Derville leur demanda si c'était bien là que
demeurait M. Chabert, aucun ne répondit, et tous trois le regardèrent avec une stupidité spirituelle[7], s'il est permis d'allier ces deux
mots. Derville réitéra[8] ses questions sans succès. Impatienté par
135 l'air narquois[9] des trois drôles[10], il leur dit de ces injures plaisantes
que les jeunes gens se croient le droit d'adresser aux enfants,
et les gamins rompirent le silence par un rire brutal. Derville

---

1. **Loques :** guenilles, vieux morceaux de tissu.
2. **Pampre :** feuillage.
3. **Grêle :** mince, pauvre.
4. **Poudreuse :** poussiéreuse.
5. **Le gain :** la victoire.
6. **Sur le faîte :** tout en haut.
7. **Spirituelle :** espiègle.
8. **Réitéra :** répéta.
9. **Narquois :** moqueur.
10. **Drôles :** garnements.

se fâcha. Le colonel, qui l'entendit, sortit d'une petite chambre basse située près de la laiterie et apparut sur le seuil de sa porte avec un flegme[1] militaire inexprimable. Il avait à la bouche une de ces pipes notablement *culottées*[2] (expression technique des fumeurs), une de ces humbles pipes de terre blanche nommées des *brûle-gueule*. Il leva la visière d'une casquette horriblement crasseuse, aperçut Derville et traversa le fumier, pour venir plus promptement à son bienfaiteur, en criant d'une voix amicale aux gamins : « Silence dans les rangs ! » Les enfants gardèrent aussitôt un silence respectueux qui annonçait l'empire[3] exercé sur eux par le vieux soldat.

« Pourquoi ne m'avez-vous pas écrit ? dit-il à Derville. Allez le long de la vacherie ! Tenez, là, le chemin est pavé », s'écria-t-il en remarquant l'indécision de l'avoué qui ne voulait pas se mouiller les pieds dans le fumier.

En sautant de place en place, Derville arriva sur le seuil de la porte par où le colonel était sorti. Chabert parut désagréablement affecté d'être obligé de le recevoir dans la chambre qu'il occupait. En effet, Derville n'y aperçut qu'une seule chaise. Le lit du colonel consistait en quelques bottes de paille sur lesquelles son hôtesse avait étendu deux ou trois lambeaux de ces vieilles tapisseries, ramassées je ne sais où, qui servent aux laitières à garnir les bancs de leurs charrettes. Le plancher était tout simplement en terre battue. Les murs salpêtrés[4], verdâtres et fendus répandaient une si forte humidité, que le mur contre lequel couchait le colonel était tapissé d'une natte[5] en jonc. Le fameux carrick pendait à un clou. Deux mauvaises[6] paires de bottes gisaient dans un coin. Nul vestige[7] de linge. Sur la table vermoulue[8], les *Bulletins de la Grande*

---

1. **Flegme :** calme et sang-froid.
2. **Culottées :** enduites d'une sorte de vernis brun à force d'avoir servi.
3. **L'empire :** l'autorité.
4. **Salpêtrés :** enduits de salpêtre, c'est-à-dire de nitrate de potassium qu'on trouve sur les murs très humides.
5. **Natte :** tissu composé ici de joncs entrelacés.
6. **Mauvaises :** misérables.
7. **Vestige :** trace.
8. **Vermoulue :** rongée par les vers.

Armée[1] réimprimés par Plancher[2] étaient ouverts, et paraissaient être la lecture du colonel, dont la physionomie était calme et sereine au milieu de cette misère. Sa visite chez Derville semblait avoir changé le caractère de ses traits, où l'avoué trouva les traces d'une pensée heureuse, une lueur particulière qu'y avait jetée l'espérance.

« La fumée de la pipe vous incommode-t-elle ? dit-il, en tendant à son avoué la chaise à moitié dépaillée.

– Mais, colonel, vous êtes horriblement mal ici. »

Cette phrase fut arrachée à Derville par la défiance naturelle aux avoués, et par la déplorable expérience que leur donnent de bonne heure les épouvantables drames inconnus auxquels ils assistent.

« Voilà, se dit-il, un homme qui aura certainement employé mon argent à satisfaire les trois vertus théologales[3] du troupier[4] : le jeu, le vin et les femmes !

– C'est vrai, monsieur, nous ne brillons pas ici par le luxe. C'est un bivouac[5] tempéré par l'amitié, mais... » Ici le soldat lança un regard profond à l'homme de loi. « Mais, je n'ai fait de tort à personne, je n'ai jamais repoussé personne, et je dors tranquille. »

L'avoué songea qu'il y aurait peu de délicatesse à demander compte à son client des sommes qu'il lui avait avancées, et il se contenta de lui dire : « Pourquoi n'avez-vous donc pas voulu venir dans Paris où vous auriez pu vivre aussi peu chèrement que vous vivez ici, mais où vous auriez été mieux ?

– Mais, répondit le colonel, les braves gens chez lesquels je suis m'avaient recueilli, nourri *gratis* depuis un an ! comment les quitter au moment où j'avais un peu d'argent ? Puis le père de ces trois gamins est un vieux *égyptien*...

– Comment, un égyptien ? »

---

1. ***Bulletins de la Grande Armée :*** publications rédigées par l'état-major, souvent sous la dictée de Napoléon. Elles font le compte-rendu des batailles. Destinées aux soldats et au public, elles sont imprimées et diffusées partout en France.
2. **Plancher :** imprimeur parisien.
3. **Les trois vertus théologales :** la foi, l'espérance, la charité.
4. **Troupier :** soldat.
5. **Bivouac :** campement.

195 — Nous appelons ainsi les troupiers qui sont revenus de l'expédition d'Égypte[1] de laquelle j'ai fait partie. Non seulement tous ceux qui en sont revenus sont un peu frères, mais Vergniaud était alors dans mon régiment, nous avions partagé de l'eau dans le désert. Enfin, je n'ai pas encore fini d'apprendre à lire à ses marmots.

200 — Il aurait bien pu vous mieux loger, pour votre argent, lui.

— Bah ! dit le colonel, ses enfants couchent comme moi sur la paille ! Sa femme et lui n'ont pas un lit meilleur, ils sont bien pauvres, voyez-vous ? ils ont pris un établissement[2] au-dessus de leurs forces. Mais si je recouvre ma fortune !... Enfin, suffit !

205 — Colonel, je dois recevoir demain ou après vos actes d'Heilsberg. Votre libératrice vit encore !

— Sacré argent ! Dire que je n'en ai pas ! » s'écriait-il en jetant par terre sa pipe.

Une pipe *culottée* est une pipe précieuse pour un fumeur ; mais 210 ce fut par un geste si naturel, par un mouvement si généreux, que tous les fumeurs et même la Régie[3] lui eussent pardonné ce crime de lèse-tabac[4]. Les anges auraient peut-être ramassé les morceaux.

« Colonel, votre affaire est excessivement compliquée, lui dit Derville en sortant de la chambre pour s'aller promener au soleil le 215 long de la maison.

— Elle me paraît, dit le soldat, parfaitement simple. L'on m'a cru mort, me voilà ! Rendez-moi ma femme et ma fortune ; donnez-moi le grade de général auquel j'ai droit, car j'ai passé colonel dans la Garde impériale, la veille de la bataille d'Eylau.

— Les choses ne vont pas ainsi dans le monde judiciaire, reprit Derville. Écoutez-moi. Vous êtes le comte Chabert, je le veux bien, mais il s'agit de le prouver judiciairement à des gens qui vont avoir intérêt à nier votre existence. Ainsi, vos actes[5] seront discutés. Cette discussion entamera dix ou douze questions préliminaires. Toutes iront contradictoirement jusqu'à la Cour suprême,

---

1. **L'expédition d'Égypte :** référence à la campagne d'Égypte (1798).
2. **Un établissement :** la « vacherie » (voir note 6, p. 60).
3. **La Régie :** en 1810, Napoléon Ier avait créé la Régie des tabacs, chargée du commerce des tabacs en France.
4. **Crime de lèse-tabac :** jeu à partir de l'expression « crime de lèse-majesté » (attentat contre la personne du prince ou contre son autorité).
5. **Actes :** les pièces de votre dossier.

et constitueront autant de procès coûteux, qui traîneront en longueur, quelle que soit l'activité que j'y mette. Vos adversaires demanderont une enquête à laquelle nous ne pourrons pas nous refuser, et qui nécessitera peut-être une commission rogatoire[1] en Prusse. Mais supposons tout au mieux : admettons qu'il soit reconnu promptement par la justice que vous êtes le colonel Chabert. Savons-nous comment sera jugée la question soulevée par la bigamie[2] fort innocente de la comtesse Ferraud ? Dans votre cause, le point de droit est en dehors du Code[3], et ne peut être jugé par les juges que suivant les lois de la conscience, comme fait le jury dans les questions délicates que présentent les bizarreries sociales de quelques procès criminels. Or, vous n'avez pas eu d'enfants de votre mariage, et M. le comte Ferraud en a deux du sien, les juges peuvent déclarer nul le mariage où se rencontrent les liens les plus faibles, au profit du mariage qui en comporte de plus forts, du moment où il y a eu bonne foi chez les contractants[4]. Serez-vous dans une position morale bien belle, en voulant *mordicus* avoir à votre âge et dans les circonstances où vous vous trouvez une femme qui ne vous aime plus ? Vous aurez contre vous votre femme et son mari, deux personnes puissantes qui pourront influencer les tribunaux. Le procès a donc des éléments de durée. Vous aurez le temps de vieillir dans les chagrins les plus cuisants.

220   – Et ma fortune ?

– Vous vous croyez donc une grande fortune ?

– N'avais-je pas trente mille livres de rente ?

– Mon cher colonel, vous aviez fait, en 1799, avant votre mariage, un testament qui léguait le quart de vos biens aux
225 hospices.

– C'est vrai.

---

1. **Commission rogatoire :** mission donnée par un juge à un autre juge de procéder, en son nom, à des mesures d'instruction, notamment à l'étranger.
2. **Bigamie :** le fait d'être marié en même temps à deux personnes différentes. La bigamie est interdite par la loi française.
3. **En dehors du Code :** le cas unique du colonel Chabert n'a pas été prévu dans les articles du Code (voir note 4, p. 35).
4. **Contractants :** personnes liées par un contrat de mariage, ici le comte et la comtesse Ferraud.

– Eh bien, vous censé mort[1], n'a-t-il pas fallu procéder à un inventaire, à une liquidation afin de donner ce quart aux hospices ? Votre femme ne s'est pas fait scrupule de tromper les pauvres. L'inventaire, où sans doute elle s'est bien gardée de mentionner l'argent comptant, les pierreries, où elle aura produit peu d'argenterie, et où le mobilier a été estimé à deux tiers au-dessous du prix réel, soit pour la favoriser, soit pour payer moins de droits au fisc, et aussi parce que les commissaires-priseurs[2] sont responsables de leurs estimations, l'inventaire ainsi fait a établi six cent mille francs de valeurs. Pour sa part, votre veuve avait droit à la moitié. Tout a été vendu, racheté par elle, elle a bénéficié sur tout, et les hospices ont eu leurs soixante-quinze mille francs. Puis, comme le fisc héritait de vous, attendu que vous n'aviez pas fait mention de votre femme dans votre testament, l'Empereur a rendu par un décret à votre veuve la portion qui revenait au domaine public. Maintenant, à quoi avez-vous droit ? à trois cent mille francs seulement, moins les frais.

– Et vous appelez cela la justice ? dit le colonel ébahi.

– Mais, certainement...

– Elle est belle.

– Elle est ainsi, mon pauvre colonel. Vous voyez que ce que vous avez cru facile ne l'est pas. Mme Ferraud peut même vouloir garder la portion qui lui a été donnée par l'Empereur.

– Mais elle n'était pas veuve, le décret est nul...

– D'accord. Mais tout se plaide. Écoutez-moi. Dans ces circonstances, je crois qu'une transaction[3] serait, et pour vous et pour elle, le meilleur dénouement du procès. Vous y gagnerez une fortune plus considérable que celle à laquelle vous auriez droit.

– Ce serait vendre ma femme !

– Avec vingt-quatre mille francs de rente, vous aurez, dans la position où vous vous trouvez, des femmes qui vous conviendront mieux que la vôtre, et qui vous rendront plus heureux. Je compte

---

1. **Censé mort :** considéré comme mort.
2. **Commissaires-priseurs :** agents chargés d'estimer et de vendre les biens aux enchères, c'est-à-dire au plus offrant.
3. **Transaction :** arrangement entre les deux parties qui font des concessions réciproques.

aller voir aujourd'hui même Mme la comtesse Ferraud afin de sonder le terrain[1] ; mais je n'ai pas voulu faire cette démarche sans vous en prévenir.

– Allons ensemble chez elle...

– Fait comme vous êtes ? dit l'avoué. Non, non, colonel, non. Vous pourriez y perdre tout à fait votre procès...

– Mon procès est-il gagnable ?

– Sur tous les chefs[2], répondit Derville. Mais, mon cher colonel Chabert, vous ne faites pas attention à une chose. Je ne suis pas riche, ma charge[3] n'est pas entièrement payée. Si les tribunaux vous accordent une *provision*, c'est-à-dire une somme à prendre par avance sur votre fortune, ils ne l'accorderont qu'après avoir reconnu vos qualités de comte Chabert, grand officier de la Légion d'honneur.

– Tiens, je suis grand officier de la Légion, je n'y pensais plus, dit-il naïvement.

– Eh bien, jusque-là, reprit Derville, ne faut-il pas plaider, payer des avocats, lever et solder[4] les jugements, faire marcher des huissiers, et vivre ? Les frais des instances préparatoires[5] se monteront, à vue de nez, à plus de douze ou quinze mille francs. Je ne les ai pas, moi qui suis écrasé par les intérêts énormes que je paye à celui qui m'a prêté l'argent de ma charge. Et vous ! où les trouverez-vous ? »

De grosses larmes tombèrent des yeux flétris du pauvre soldat et roulèrent sur ses joues ridées. À l'aspect de ces difficultés, il fut découragé. Le monde social et judiciaire lui pesait sur la poitrine comme un cauchemar.

---

1. **Sonder le terrain :** évaluer la situation, notamment la disposition d'esprit de la comtesse.
2. **Chefs :** points principaux.
3. **Ma charge :** le cabinet de Derville.
4. **Lever et solder :** prendre connaissance des jugements et en payer tous les frais.
5. **Instances préparatoires :** actes qui permettent d'engager une procédure, de lancer un procès.

285 « J'irai, s'écria-t-il, au pied de la colonne de la place Vendôme[1], je crierai là : "Je suis le colonel Chabert qui a enfoncé le grand carré[2] des Russes à Eylau !" Le bronze[3], lui ! me reconnaîtra.

– Et l'on vous mettra sans doute à Charenton. »

À ce nom redouté, l'exaltation du militaire tomba.

290 « N'y aurait-il donc pas pour moi quelques chances favorables au ministère de la Guerre ?

– Les bureaux ! dit Derville. Allez-y, mais avec un jugement bien en règle qui déclare nul votre acte de décès. Les bureaux voudraient pouvoir anéantir les gens de l'Empire[4]. »

295 Le colonel resta pendant un moment interdit[5], immobile, regardant sans voir, abîmé[6] dans un désespoir sans bornes. La justice militaire est franche, rapide, elle décide à la turque[7], et juge presque toujours bien ; cette justice était la seule que connût Chabert. En apercevant le dédale[8] de difficultés où il fallait s'enga-
300 ger, en voyant combien il fallait d'argent pour y voyager, le pauvre soldat reçut un coup mortel dans cette puissance particulière à l'homme et que l'on nomme la *volonté*. Il lui parut impossible de vivre en plaidant[9], il fut pour lui mille fois plus simple de rester pauvre, mendiant, de s'engager comme cavalier si quelque
305 régiment voulait de lui. Ses souffrances physiques et morales lui avaient déjà vicié[10] le corps dans quelques-uns des organes les plus importants. Il touchait à l'une de ces maladies pour lesquelles la médecine n'a pas de nom, dont le siège est en quelque sorte mobile comme l'appareil nerveux qui paraît le plus attaqué parmi
310 tous ceux de notre machine, affection qu'il faudrait nommer le

---

1. **La colonne de la place Vendôme :** cette colonne a été érigée à Paris, Place Vendôme, par Napoléon pour célébrer la victoire d'Austerlitz (1805).
2. **Grand carré :** soldats faisant front sur quatre côtés, formation notamment utilisée contre les charges de cavalerie.
3. **Le bronze :** la colonne a été faite avec le bronze des canons d'Austerlitz.
4. **Les bureaux voudraient pouvoir anéantir les gens de l'Empire :** l'administration est désormais aux mains des royalistes (on est sous la Restauration).
5. **Interdit :** stupéfait.
6. **Abîmé :** plongé.
7. **À la turque :** radicalement.
8. **Dédale :** labyrinthe.
9. **En plaidant :** en faisant un procès.
10. **Vicié :** verbe « vicier », altérer, abîmer.

spleen[1] du malheur. Quelque grave que fût déjà ce mal invisible, mais réel, il était encore guérissable par une heureuse conclusion. Pour ébranler tout à fait cette vigoureuse organisation, il suffirait d'un obstacle nouveau, de quelque fait imprévu qui en romprait les ressorts affaiblis et produirait ces hésitations, ces actes incompris, incomplets, que les physiologistes[2] observent chez les êtres ruinés par les chagrins.

En reconnaissant alors les symptômes d'un profond abattement chez son client, Derville lui dit : « Prenez courage, la solution de cette affaire ne peut que vous être favorable. Seulement, examinez si vous pouvez me donner toute votre confiance, et accepter aveuglément le résultat que je croirai le meilleur pour vous.

– Faites comme vous voudrez, dit Chabert.

– Oui, mais vous vous abandonnez à moi comme un homme qui marche à la mort ?

– Ne vais-je pas rester sans état[3], sans nom ? Est-ce tolérable ?

– Je ne l'entends[4] pas ainsi, dit l'avoué. Nous poursuivrons à l'amiable[5] un jugement pour annuler votre acte de décès et votre mariage, afin que vous repreniez vos droits. Vous serez même, par l'influence du comte Ferraud, porté sur les cadres de l'armée comme général, et vous obtiendrez sans doute une pension.

– Allez donc ! répondit Chabert, je me fie entièrement à vous.

– Je vous enverrai donc une procuration[6] à signer, dit Derville. Adieu, bon courage ! S'il vous faut de l'argent, comptez sur moi. »

Chabert serra chaleureusement la main de Derville, et resta le dos appuyé contre la muraille, sans avoir la force de le suivre autrement que des yeux. Comme tous les gens qui comprennent peu les affaires judiciaires, il s'effrayait de cette lutte imprévue. Pendant cette conférence, à plusieurs reprises, il s'était avancé, hors d'un pilastre de la porte cochère, la figure d'un homme posté

---

1. **Spleen :** désespoir mêlé d'un sentiment d'impuissance et de dégoût de la vie.
2. **Physiologistes :** hommes de science qui étudient la fonction des organes dans les êtres vivants, végétaux et animaux.
3. **État :** situation.
4. **Entends :** comprends.
5. **À l'amiable :** par voie de conciliation, sans procès.
6. **Procuration :** pouvoir donné par quelqu'un (ici le colonel Chabert) à un autre (Derville) pour agir en son nom.

dans la rue pour guetter la sortie de Derville, et qui l'accosta quand il sortit. C'était un vieux homme vêtu d'une veste bleue, d'une cotte[1] blanche plissée semblable à celle des brasseurs, et qui portait sur la tête une casquette de loutre. Sa figure était brune, creusée, ridée, mais rougie sur les pommettes par l'excès du travail et hâlée par le grand air.

« Excusez, monsieur, dit-il à Derville en l'arrêtant par le bras, si je prends la liberté de vous parler, mais je me suis douté, en vous voyant, que vous étiez l'ami de notre général.

— Eh bien ? dit Derville, en quoi vous intéressez-vous à lui ? Mais qui êtes-vous ? reprit le défiant avoué.

— Je suis Louis Vergniaud, répondit-il d'abord. Et j'aurais deux mots à vous dire.

— Et c'est vous qui avez logé le comte Chabert comme il l'est ?

— Pardon, excuse, monsieur, il a la plus belle chambre. Je lui aurais donné la mienne, si je n'en avais eu qu'une. J'aurais couché dans l'écurie. Un homme qui a souffert comme lui, qui apprend à lire à mes *mioches*, un général, un égyptien, le premier lieutenant sous lequel j'ai servi... faudrait voir ? Du tout, il est le mieux logé. J'ai partagé avec lui ce que j'avais. Malheureusement ce n'était pas grand-chose, du pain, du lait, des œufs ; enfin à la guerre comme à la guerre ! C'est de bon cœur. Mais il nous a vexés.

— Lui ?

— Oui, monsieur, vexés, là ce qui s'appelle en plein. J'ai pris un établissement au-dessus de mes forces, il le voyait bien. Ça vous le contrariait, et il pansait[2] le cheval ! Je lui dis : "Mais, mon général ? – Bah ! qui dit, je ne veux pas être comme un fainéant, et il y a longtemps que je sais brosser le lapin[3]." J'avais donc fait des billets[4] pour le prix de ma vacherie à un nommé Grados... Le connaissez-vous, monsieur ?

— Mais, mon cher, je n'ai pas le temps de vous écouter. Seulement dites-moi comment le colonel vous a vexés !

---

1. **Cotte :** sorte de grande blouse.
2. **Pansait :** toilettait, brossait, nettoyait.
3. **Brosser le lapin :** panser le cheval (expression populaire).
4. **Billets :** reconnaissances de dettes qui engagent un emprunteur à rembourser, selon un calendrier établi d'avance, l'argent qu'on lui a prêté.

– Il nous a vexés, monsieur, aussi vrai que je m'appelle Louis Vergniaud et que ma femme en a pleuré. Il a su par les voisins que nous n'avions pas le premier sou de notre billet. Le vieux grognard[1], sans rien dire, a amassé tout ce que vous lui donniez, a guetté le billet et l'a payé. C'te malice ! Que ma femme et moi nous savions qu'il n'avait pas de tabac, ce pauvre vieux, et qu'il s'en passait ! Oh ! maintenant, tous les matins il a ses cigares ! Je me vendrais plutôt... Non ! nous sommes vexés. Donc, je voudrais vous proposer de nous prêter, vu qu'il nous a dit que vous étiez un brave homme, une centaine d'écus sur notre établissement, afin que nous lui fassions faire des habits, que nous lui meublions sa chambre. Il a cru nous acquitter[2], pas vrai ? Eh bien, au contraire, voyez-vous, l'ancien[3] nous a endettés... et vexés ! Il ne devait pas nous faire cette avanie-là[4]. Il nous a vexés ! et des amis, encore ! Foi d'honnête homme, aussi vrai que je m'appelle Louis Vergniaud, je m'engagerais[5] plutôt que de ne pas vous rendre cet argent-là... »

Derville regarda le nourrisseur, et fit quelques pas en arrière pour revoir la maison, la cour, les fumiers, l'étable, les lapins, les enfants.

« Par ma foi, je crois qu'un des caractères de la vertu est de ne pas être propriétaire, se dit-il. Va, tu auras tes cent écus ! et plus même. Mais ce ne sera pas moi qui te les donnerai, le colonel sera bien assez riche pour t'aider, et je ne veux pas lui en ôter le plaisir.

– Ce sera-t-il bientôt ?

– Mais oui.

– Ah ! mon Dieu, que mon épouse va-t-être[6] contente ! »

Et la figure tannée du nourrisseur sembla s'épanouir.

« Maintenant, se dit Derville en remontant dans son cabriolet, allons chez notre adversaire. Ne laissons pas voir notre jeu, tâchons de connaître le sien, et gagnons la partie d'un seul coup.

---

1. **Grognard :** nom attribué aux soldats de la Vieille Garde sous Napoléon Ier.
2. **Acquitter :** payer ce qu'il nous devait.
3. **L'ancien :** le vieil homme.
4. **Cette avanie-là :** cet affront.
5. **Je m'engagerais :** je deviendrais valet ou domestique.
6. **Va-t-être :** mis pour « Va être ». Le nourrisseur est un homme simple qui parle un français populaire.

Il faudrait l'effrayer ! Elle est femme. De quoi s'effraient le plus les femmes ? Mais les femmes ne s'effraient que de... »

405 Il se mit à étudier la position de la comtesse, et tomba dans une de ces méditations auxquelles se livrent les grands politiques en concevant leurs plans, en tâchant de deviner le secret des cabinets ennemis. Les avoués ne sont-ils pas en quelque sorte des hommes d'État chargés des affaires privées ? Un coup d'œil jeté sur la situa-
410 tion de M. le comte Ferraud et de sa femme est ici nécessaire pour faire comprendre le génie de l'avoué.

M. le comte Ferraud était le fils d'un ancien conseiller au Parlement de Paris, qui avait émigré pendant le temps de la Terreur[1], et qui, s'il sauva sa tête, perdit sa fortune. Il rentra sous le
415 Consulat[2] et resta constamment fidèle aux intérêts de Louis XVIII, dans les entours[3] duquel était son père avant la Révolution. Il appartenait donc à cette partie du faubourg Saint-Germain[4] qui résista noblement aux séductions de Napoléon. La réputation de capacité[5] que se fit le jeune comte, alors simplement appelé
420 M. Ferraud, le rendit l'objet des coquetteries[6] de l'Empereur, qui souvent était aussi heureux de ses conquêtes sur l'aristocratie que du gain d'une bataille. On promit au comte la restitution de son titre, celle de ses biens non vendus, on lui montra dans le lointain un ministère, une sénatorerie[7]. L'Empereur échoua. M. Ferraud
425 était, lors de la mort du comte Chabert, un jeune homme de vingt-six ans, sans fortune, doué de formes agréables, qui avait des suc-cès et que le faubourg Saint-Germain avait adopté comme une de ses gloires ; mais Mme la comtesse Chabert avait su tirer un si bon parti de la succession de son mari, qu'après dix-huit mois de veu-
430 vage elle possédait environ quarante mille livres de rente. Son

---

1. **La Terreur :** période de la Révolution française marquée par des milliers d'exécu-tions (1793-1794).
2. **Consulat :** régime politique des années 1799-1804, sous Napoléon Bonaparte.
3. **Les entours :** l'entourage.
4. **Faubourg Saint-Germain :** situé alors hors de Paris, le faubourg Saint-Germain était très apprécié de l'aristocratie.
5. **Capacité :** Ferraud a la réputation d'un homme « capable », c'est-à-dire doté de nombreux talents.
6. **Coquetteries :** intérêt.
7. **Sénatorerie :** sous le premier Empire, terre accordée à un sénateur.

mariage avec le jeune comte ne fut pas accepté comme une nouvelle[1] par les coteries du faubourg Saint-Germain[2]. Heureux de ce
mariage qui répondait à ses idées de fusion, Napoléon rendit à
Mme Chabert la portion dont héritait le fisc dans la succession du
colonel ; mais l'espérance de Napoléon fut encore trompée.
Mme Ferraud n'aimait pas seulement son amant dans le jeune
homme, elle avait été séduite aussi par l'idée d'entrer dans cette
société dédaigneuse[3] qui, malgré son abaissement[4], dominait la
cour impériale[5]. Toutes ses vanités étaient flattées autant que ses
passions dans ce mariage. Elle allait devenir une *femme comme il
faut*. Quand le faubourg Saint-Germain sut que le mariage du
jeune comte n'était pas une défection[6], les salons s'ouvrirent à sa
femme. La Restauration[7] vint. La fortune politique du comte
Ferraud ne fut pas rapide. Il comprenait les exigences de la position dans laquelle se trouvait Louis XVIII, il était du nombre des
initiés qui attendaient *que l'abîme des révolutions fût fermé*[8] car
cette phrase royale, dont se moquèrent tant les libéraux, cachait
un sens politique. Néanmoins, l'ordonnance citée dans la longue
phrase cléricale[9] qui commence cette histoire lui avait rendu deux
forêts et une terre dont la valeur avait considérablement augmenté
pendant le séquestre[10]. En ce moment, quoique le comte Ferraud
fût conseiller d'État, directeur général, il ne considérait sa position
que comme le début de sa fortune[11] politique. Préoccupé par les
soins d'une ambition dévorante, il s'était attaché comme secrétaire

---

1. **Nouvelle :** événement.
2. **Coteries du faubourg Saint-Germain :** les clans (les anciens nobles regroupés entre eux et décidant qui pouvait – ou non – faire partie de leur communauté).
3. **Cette société dédaigneuse :** celle du faubourg Saint-Germain.
4. **Son abaissement :** la vieille aristocratie sortait très affaiblie de la Révolution.
5. **La cour impériale :** la cour formée autour de Napoléon.
6. **Défection :** abandon du parti auquel on appartient.
7. **Restauration :** période comprise entre la chute du premier Empire (6 avril 1814) et la révolution des Trois Glorieuses (29 juillet 1830).
8. **L'abîme [...] fermé :** « Fermer l'abîme des révolutions » est une formule employée en 1820 dans un discours visant à rétablir la censure de la presse.
9. **Phrase cléricale :** citée par le clerc de l'étude de Derville, au début du roman.
10. **Séquestre :** le fait pour un bien appartenant à un émigré d'être placé entre les mains d'un administrateur jusqu'à ce que soit décidée la destination de ce bien.
11. **Fortune :** succès.

455 un ancien avoué ruiné nommé Delbecq, homme plus qu'habile, qui connaissait admirablement les ressources de la chicane, et auquel il laissait la conduite de ses affaires privées. Le rusé praticien[1] avait assez bien compris sa position chez le comte pour y être probe[2] par spéculation[3]. Il espérait parvenir à quelque place

460 par le crédit[4] de son patron, dont la fortune[5] était l'objet de tous ses soins. Sa conduite démentait tellement sa vie antérieure qu'il passait pour un homme calomnié. Avec le tact et la finesse dont sont plus ou moins douées toutes les femmes, la comtesse, qui avait deviné son intendant[6], le surveillait adroitement, et savait si

465 bien le manier, qu'elle en avait déjà tiré un très bon parti pour l'augmentation de sa fortune particulière. Elle avait su persuader à Delbecq qu'elle gouvernait M. Ferraud, et lui avait promis de le faire nommer président d'un tribunal de première instance dans l'une des plus importantes villes de France, s'il se dévouait entière-

470 ment à ses intérêts. La promesse d'une place inamovible[7] qui lui permettrait de se marier avantageusement et de conquérir plus tard une haute position dans la carrière politique en devenant député fit de Delbecq l'âme damnée[8] de la comtesse. Il ne lui avait laissé manquer aucune des chances favorables que les mouve-

475 ments de Bourse[9] et la hausse des propriétés présentèrent dans Paris aux gens habiles pendant les trois premières années de la Restauration. Il avait triplé les capitaux[10] de sa protectrice, avec d'autant plus de facilité que tous les moyens avaient paru bons à la comtesse afin de rendre promptement sa fortune énorme. Elle

---

1. **Praticien :** homme de loi qui a l'expérience des affaires.
2. **Probe :** honnête, droit, loyal.
3. **Par spéculation :** avec l'idée qu'il pourrait tirer avantage de sa loyauté.
4. **Crédit :** influence.
5. **La fortune :** les biens et les honneurs.
6. **Intendant :** personne employée par quelqu'un pour gérer ses affaires et son patrimoine (ici Delbecq).
7. **Inamovible :** qui ne peut pas lui être enlevée ; acquise définitivement.
8. **L'âme damnée :** un homme prêt à tout pour la comtesse, dévoué au point d'accomplir pour elle les tâches les plus immorales.
9. **Bourse :** marché où s'effectuent des transactions (achat et vente) sur les grandes sociétés ou les marchandises.
10. **Les capitaux :** la fortune, les possessions.

480 employait les émoluments[1] des places occupées par le comte aux dépenses de la maison, afin de pouvoir capitaliser ses revenus, et Delbecq se prêtait aux calculs de cette avarice sans chercher à s'en expliquer les motifs. Ces sortes de gens ne s'inquiètent que des secrets dont la découverte est nécessaire à leurs intérêts. D'ailleurs

485 il en trouvait si naturellement la raison dans cette soif d'or dont sont atteintes la plupart des Parisiennes, et il fallait une si grande fortune pour appuyer les prétentions du comte Ferraud, que l'intendant croyait parfois entrevoir dans l'avidité de la comtesse un effet de son dévouement pour l'homme de qui elle était toujours

490 éprise. La comtesse avait enseveli les secrets de sa conduite au fond de son cœur. Là étaient des secrets de vie et de mort pour elle, là était précisément le nœud de cette histoire. Au commencement de l'année 1818, la Restauration fut assise sur des bases en apparence inébranlables, ses doctrines gouvernementales, com-

495 prises par les esprits élevés, leur parurent devoir amener pour la France une ère de prospérité[2] nouvelle, alors la société parisienne changea de face. Mme la comtesse Ferraud se trouva par hasard avoir fait tout ensemble un mariage d'amour, de fortune et d'ambition. Encore jeune et belle, Mme Ferraud joua le rôle d'une femme à

500 la mode, et vécut dans l'atmosphère de la cour. Riche par elle-même, riche par son mari, qui, prôné[3] comme un des hommes les plus capables du parti royaliste et l'ami du roi, semblait promis à quelque ministère, elle appartenait à l'aristocratie, elle en partageait la splendeur. Au milieu de ce triomphe, elle fut atteinte d'un

505 cancer moral. Il est de ces sentiments que les femmes devinent malgré le soin que les hommes mettent à les enfouir. Au premier retour du roi, le comte Ferraud avait conçu quelques regrets de son mariage. La veuve du colonel Chabert ne l'avait allié à personne, il était seul et sans appui pour se diriger dans une carrière

510 pleine d'écueils et pleine d'ennemis. Puis, peut-être, quand il avait pu juger froidement sa femme, avait-il reconnu chez elle quelques vices d'éducation qui la rendaient impropre à le seconder dans ses

---

1. **Émoluments :** rémunération.
2. **Ère de prospérité :** période de richesse économique.
3. **Prôné :** verbe « prôner » ; vanter, louer.

projets. Un mot dit par lui à propos du mariage de Talleyrand[1]
éclaira la comtesse, à laquelle il fut prouvé que si son mariage était
515 à faire, jamais elle n'eût été Mme Ferraud. Ce regret, quelle femme
le pardonnerait ? Ne contient-il pas toutes les injures, tous les
crimes, toutes les répudiations[2] en germe ? Mais quelle plaie ne
devait pas faire ce mot dans le cœur de la comtesse, si l'on vient à
supposer qu'elle craignait de voir revenir son premier mari ! Elle
520 l'avait su vivant, elle l'avait repoussé. Puis, pendant le temps où
elle n'en avait plus entendu parler, elle s'était plu à le croire mort à
Waterloo avec les aigles impériales[3] en compagnie de Boutin.
Néanmoins elle conçut d'attacher le comte à elle par le plus fort
des liens, par la chaîne d'or, et voulut être si riche que sa fortune
525 rendît son second mariage indissoluble[4], si par hasard le comte
Chabert reparaissait encore. Et il avait reparu, sans qu'elle s'expli-
quât pourquoi la lutte qu'elle redoutait n'avait pas déjà commencé.
Les souffrances, la maladie l'avaient peut-être délivrée de cet
homme. Peut-être était-il à moitié fou, Charenton pouvait encore
530 lui en faire raison. Elle n'avait pas voulu mettre Delbecq ni la
police dans sa confidence, de peur de se donner un maître, ou de
précipiter la catastrophe. Il existe à Paris beaucoup de femmes qui,
semblables à la comtesse Ferraud, vivent avec un monstre moral
inconnu, ou côtoient un abîme ; elles se font un calus[5] à l'endroit
535 de leur mal, et peuvent encore rire et s'amuser.

    « Il y a quelque chose de bien singulier dans la situation de
M. le comte Ferraud, se dit Derville en sortant de sa longue rêverie,
au moment où son cabriolet s'arrêtait rue de Varenne, à la porte
de l'hôtel Ferraud. Comment, lui si riche, aimé du roi, n'est-il pas
540 encore pair de France[6] ? Il est vrai qu'il entre peut-être dans la

---

1. **Talleyrand :** Talleyrand-Périgord, homme politique, ministre des Affaires étran-
gères de Louis XVIII. Il épousa, en 1802, Mme Grand dont la réputation de beauté
et de sottise courait dans tout Paris, mais se sépara d'elle en 1815, ce qui peut
inspirer des craintes de la comtesse.
2. **Répudiation :** action de renvoyer légalement une épouse.
3. **Les aigles impériales :** dans l'armée de Napoléon, les enseignes militaires avaient
la forme de l'aigle.
4. **Indissoluble :** impossible à dissoudre.
5. **Calus :** épaississement et durcissement de la peau.
6. **Pair de France :** titre accordé aux membres de la Chambre des pairs instituée par
Louis XVIII, qui représentaient la noblesse.

politique du roi, comme me le disait Mme de Grandlieu, de donner une haute importance à la pairie[1] en ne la prodiguant[2] pas. D'ailleurs, le fils d'un conseiller au Parlement[3] n'est ni un Crillon, ni un Rohan[4]. Le comte Ferraud ne peut entrer que subrepticement[5] dans la Chambre haute[6]. Mais, si son mariage était cassé, ne pourrait-il faire passer sur sa tête, à la grande satisfaction du roi, la pairie d'un de ces vieux sénateurs qui n'ont que des filles ? Voilà certes une bonne bourde[7] à mettre en avant pour effrayer notre comtesse », se dit-il en montant le perron.

Derville avait, sans le savoir, mis le doigt sur la plaie secrète, enfoncé la main dans le cancer[8] qui dévorait Mme Ferraud. Il fut reçu par elle dans une jolie salle à manger d'hiver, où elle déjeunait en jouant avec un singe attaché par une chaîne à une espèce de petit poteau garni de bâtons en fer. La comtesse était enveloppée dans un élégant peignoir, les boucles de ses cheveux, négligemment rattachés, s'échappaient d'un bonnet qui lui donnait un air mutin[9]. Elle était fraîche et rieuse. L'argent, le vermeil[10], la nacre étincelaient sur la table, et il y avait autour d'elle des fleurs curieuses plantées dans de magnifiques vases en porcelaine. En voyant la femme du comte Chabert, riche de ses dépouilles, au sein du luxe, au faîte[11] de la société, tandis que le malheureux vivait chez un pauvre nourrisseur au milieu des bestiaux, l'avoué se dit : « La morale de ceci est qu'une jolie femme ne voudra jamais reconnaître son mari, ni même son amant dans un homme

---

1. **Pairie :** dignité de pair de France.
2. **Prodiguant :** de « prodiguer », accorder généreusement.
3. **Le fils d'un conseiller au Parlement :** le comte Ferraud était le fils d'un ancien conseiller au Parlement de Paris, qui avait émigré pendant le temps de la Terreur.
4. **Crillon [...] Rohan :** familles de vieille noblesse.
5. **Subrepticement :** clandestinement.
6. **Chambre haute :** la Chambre des pairs composait la Chambre haute (avec des membres nommés à vie ou dont le titre était héréditaire).
7. **Bourde :** fausse nouvelle, mensonge.
8. **Cancer :** image ici, pour signifier que Mme Ferraud est rongée par un mal destructeur.
9. **Mutin :** espiègle, vif.
10. **Vermeil :** argent recouvert d'une couche d'or, dont sont fabriqués la vaisselle et les couverts des gens riches.
11. **Faîte :** sommet.

565 en vieux carrick, en perruque de chiendent[1] et en bottes percées. »
Un sourire malicieux et mordant exprima les idées moitié philosophiques, moitié railleuses qui devaient venir à un homme si bien
placé pour connaître le fond des choses, malgré les mensonges
sous lesquels la plupart des familles parisiennes cachent leur
570 existence.

« Bonjour, monsieur Derville, dit-elle en continuant à faire
prendre du café au singe.

– Madame, dit-il brusquement, car il se choqua du ton léger
avec lequel la comtesse lui avait dit : "Bonjour, monsieur Derville",
575 je viens causer avec vous d'une affaire assez grave.

– J'en suis *désespérée*, M. le comte est absent...

– J'en suis enchanté, moi, madame. Il serait *désespérant* qu'il
assistât à notre conférence. Je sais d'ailleurs, par Delbecq, que vous
aimez à faire vos affaires vous-même sans en ennuyer M. le comte.
580 – Alors, je vais faire appeler Delbecq, dit-elle.

– Il vous serait inutile, malgré son habileté, reprit Derville.
Écoutez, madame, un mot suffira pour vous rendre sérieuse. Le
comte Chabert existe.

– Est-ce en disant de semblables bouffonneries[2] que vous voulez
585 me rendre sérieuse ? » dit-elle en partant d'un éclat de rire.

Mais la comtesse fut tout à coup domptée par l'étrange lucidité
du regard fixe par lequel Derville l'interrogeait en paraissant lire
au fond de son âme.

« Madame, répondit-il avec une gravité froide et perçante, vous
590 ignorez l'étendue des dangers qui vous menacent. Je ne vous
parlerai pas de l'incontestable authenticité des pièces, ni de la
certitude des preuves qui attestent l'existence du comte Chabert.
Je ne suis pas homme à me charger d'une mauvaise cause, vous
le savez. Si vous vous opposez à notre inscription en faux[3] contre
595 l'acte de décès, vous perdrez ce premier procès, et cette question
résolue en notre faveur nous fait gagner toutes les autres.

---

1. **Chiendent :** plante nuisible. Image pour suggérer que la perruque est d'une
matière très ordinaire et très abîmée.
2. **Bouffonneries :** plaisanteries.
3. **Inscription en faux :** déclaration officielle accusant de fausseté une pièce dont
veut se servir la partie adverse.

– De quoi prétendez-vous donc me parler ?

– Ni du colonel, ni de vous. Je ne vous parlerai pas non plus des mémoires[1] que pourraient faire des avocats spirituels[2], armés des faits curieux de cette cause, et du parti qu'ils tireraient des lettres que vous avez reçues de votre premier mari avant la célébration de votre mariage avec votre second.

– Cela est faux ! dit-elle avec toute la violence d'une petite-maîtresse[3]. Je n'ai jamais reçu de lettre du comte Chabert ; et si quelqu'un se dit être le colonel, ce ne peut être qu'un intrigant[4], quelque forçat libéré, comme Coignard[5] peut-être. Le frisson prend rien que d'y penser. Le colonel peut-il ressusciter, monsieur ? Bonaparte m'a fait complimenter[6] sur sa mort par un aide de camp, et je touche encore aujourd'hui trois mille francs de pension accordée à sa veuve par les Chambres. J'ai eu mille fois raison de repousser tous les Chabert qui sont venus, comme je repousserai tous ceux qui viendront.

– Heureusement nous sommes seuls, madame. Nous pouvons mentir à notre aise », dit-il froidement en s'amusant à aiguillonner la colère qui agitait la comtesse afin de lui arracher quelques indiscrétions, par une manœuvre familière aux avoués, habitués à rester calmes quand leurs adversaires ou leurs clients s'emportent.

« Eh bien donc, à nous deux », se dit-il à lui-même en imaginant à l'instant un piège pour lui démontrer sa faiblesse. « La preuve de la remise de la première lettre existe, madame, reprit-il à haute voix, elle contenait des valeurs[7]...

– Oh ! pour des valeurs, elle n'en contenait pas.

---

1. **Mémoire :** exposé des faits destiné à rendre favorable à sa cause l'opinion des juges.
2. **Spirituels :** talentueux, inventifs.
3. **Petite-maîtresse :** femme capricieuse et coquette.
4. **Intrigant :** personne malhonnête qui cherche à faire valoir ses intérêts par des moyens peu recommandables.
5. **Coignard :** aventurier qui fut enfermé au bagne de Brest où il mourut en 1831.
6. **Complimenter :** présenter ses condoléances.
7. **Valeurs :** lettres de change (acte écrit par lequel une personne donne l'ordre à une autre personne, de régler une certaine somme d'argent, à une date précise).

– Vous avez donc reçu cette première lettre, reprit Derville en souriant. Vous êtes déjà prise dans le premier piège que vous tend un avoué, et vous croyez pouvoir lutter avec la justice... »

La comtesse rougit, pâlit, se cacha la figure dans les mains. Puis, elle secoua sa honte, et reprit avec le sang-froid naturel à ces sortes de femmes : « Puisque vous êtes l'avoué du prétendu Chabert, faites-moi le plaisir de...

– Madame, dit Derville en l'interrompant, je suis encore en ce moment votre avoué comme celui du colonel. Croyez-vous que je veuille perdre une clientèle aussi précieuse que l'est la vôtre ? Mais vous ne m'écoutez pas...

– Parlez, monsieur, dit-elle gracieusement.

– Votre fortune vous venait de M. le comte Chabert et vous l'avez repoussé. Votre fortune est colossale, et vous le laissez mendier. Madame, les avocats sont bien éloquents[1] lorsque les causes sont éloquentes par elles-mêmes, il se rencontre ici des circonstances capables de soulever contre vous l'opinion publique.

– Mais, monsieur, dit la comtesse impatientée de la manière dont Derville la tournait et retournait sur le gril, en admettant que votre M. Chabert existe, les tribunaux maintiendront mon second mariage à cause des enfants, et j'en serai quitte pour rendre deux cent vingt-cinq mille francs à M. Chabert.

– Madame, nous ne savons pas de quel côté les tribunaux verront la question sentimentale. Si, d'une part, nous avons une mère et ses enfants, nous avons de l'autre un homme accablé de malheurs, vieilli par vous, par vos refus. Où trouvera-t-il une femme ? Puis, les juges peuvent-ils heurter la loi ? Votre mariage avec le colonel a pour lui le droit, la priorité. Mais si vous êtes représentée sous d'odieuses couleurs, vous pourriez avoir un adversaire auquel vous ne vous attendez pas. Là, madame, est ce danger dont je voudrais vous préserver.

– Un nouvel adversaire ! dit-elle, qui ?

– M. le comte Ferraud, madame.

– M. Ferraud a pour moi un trop vif attachement, et, pour la mère de ses enfants, un trop grand respect...

---

1. **Éloquents :** persuasifs.

– Ne parlez pas de ces niaiseries-là, dit Derville en l'interrompant, à des avoués habitués à lire au fond des cœurs. En ce
moment M. Ferraud n'a pas la moindre envie de rompre votre
mariage et je suis persuadé qu'il vous adore ; mais si quelqu'un
venait lui dire que son mariage peut être annulé, que sa femme
sera traduite en criminelle au ban de[1] l'opinion publique...

– Il me défendrait ! monsieur.

– Non, madame.

– Quelle raison aurait-il de m'abandonner, monsieur ?

– Mais celle d'épouser la fille unique d'un pair de France, dont la
pairie lui serait transmise par ordonnance du roi... »

La comtesse pâlit.

« Nous y sommes ! se dit en lui-même Delville. Bien, je te tiens,
l'affaire du pauvre colonel est gagnée. »

« D'ailleurs, madame, reprit-il à haute voix, il aurait d'autant
moins de remords, qu'un homme couvert de gloire, général,
comte, grand officier de la Légion d'honneur, ne serait pas un pis-
aller[2] ; et si cet homme lui redemande sa femme...

– Assez ! assez ! monsieur, dit-elle. Je n'aurai jamais que vous
pour avoué. Que faire ?

– Transiger[3] ! dit Derville.

– M'aime-t-il encore ? dit-elle.

– Mais je ne crois pas qu'il puisse en être autrement. »

À ce moment, la comtesse dressa la tête. Un éclair d'espérance
brilla dans ses yeux ; elle comptait peut-être spéculer[4] sur la tendresse de son premier mari pour gagner son procès par quelque
ruse de femme.

« J'attendrai vos ordres, madame, pour savoir s'il faut vous signifier nos actes[5], ou si vous voulez venir chez moi pour arrêter les
bases d'une transaction », dit Derville en saluant la comtesse.

---

1. **Traduite en criminelle au ban de :** présentée comme une criminelle devant l'opinion publique.
2. **Pis-aller :** la pire chose qui puisse arriver à quelqu'un, qui puisse être envisagée.
3. **Transiger :** trouver un accord en faisant des concessions.
4. **Spéculer :** exploiter, compter sur quelque chose pour en tirer un profit.
5. **Vous signifier nos actes :** vous attaquer en justice, engager un procès.

Clefs d'analyse

Action et personnages

1. Quel événement majeur intervient en faveur du colonel ? Combien de mois ont passé ?

2. Qu'apprenons-nous sur la liquidation de la succession Chabert ? Quelle est la portée dramatique de ces informations pour la suite du récit ?

3. Cernez la personnalité de Vergniaud à travers sa situation passée et présente, ses activités et sa relation avec Chabert.

4. À la lumière de l'analyse qu'en fait Derville, expliquez pourquoi l'affaire de Chabert est « excessivement compliquée ».

5. Quelle stratégie compte adopter Derville ? Relevez deux phrases par lesquelles le colonel assure l'avoué de sa confiance.

6. Expliquez comment le destin du comte Ferraud a été influencé par les événements historiques.

7. Quels arguments et quelles menaces voilées Derville brandit-il dans son dialogue avec la comtesse Ferraud ? Quel argument majeur présente-t-il à la comtesse à la fin de l'entretien ?

8. De quelles qualités fait preuve Derville dans son entretien avec la comtesse ?

9. La comtesse a-t-elle perdu la partie ? Commentez sa défense dans cette scène et montrez son habileté.

Langue

10. De quel « cancer moral » souffre la comtesse ? Expliquez l'emploi de cette métaphore et sa signification.

11. Relevez quelques termes montrant le bonheur et le luxe dans lesquels vit la comtesse Ferraud. Comment réagit le lecteur ?

Genre ou thèmes

12. Le narrateur qualifie la maison de Vergniaud de « spectacle ignoble » : relevez quelques détails réalistes qui justifient ce jugement.

13. À partir de quel point de vue est décrite la chambre de Chabert ? Que révèle la description de ce lieu ?

Clefs d'analyse

14. L'argent est un thème dominant dans cet épisode : quel rôle joue-t-il dans la vie des personnages ?

15. Quelles oppositions mettent en lumière les deux visites successives de Derville à Chabert puis à la comtesse Ferraud ? Montrez que cet enchaînement est très habile sur le plan dramatique.

Écriture

16. « Tout se plaide », déclare Derville. Que pensez-vous de ce point de vue ? Selon vous, un avocat peut-il défendre n'importe quelle cause ? Donnez des exemples pour appuyer votre argumentation.

17. « L'affaire du pauvre colonel est gagnée », se dit Derville. Êtes-vous de son avis ? Développez votre point de vue en vous fondant sur les faits mais aussi sur le caractère et la situation des principaux personnages.

Pour aller plus loin

18. En vous aidant notamment de la rubrique « Pour mieux lire l'œuvre » de votre Petit Classique, dites à quelle période correspond la Restauration. Quel type de société se développe alors en France ?

✳ À retenir

Le réalisme consiste à montrer la réalité sans l'idéaliser. Reposant sur une observation objective, il s'exprime souvent à travers une description qui montre, dans ses aspects les plus concrets, la vérité d'une situation, d'une personne ou d'un lieu. Le réalisme cherche parfois à éveiller la conscience du lecteur et à dénoncer certains faits pour mieux les combattre. Ainsi, en évoquant la masure de Vergniaud, Balzac met-il en scène la déchéance du comte Chabert pour inspirer l'indignation face à l'injustice qui accable un héros de la bataille d'Eylau.

Honoré de Balzac

Huit jours après les deux visites que Derville avait faites, et par une belle matinée du mois de juin, les époux, désunis par un hasard presque surnaturel, partirent des deux points les plus opposés de Paris, pour venir se rencontrer dans l'étude de leur avoué
5 commun. Les avances[1] qui furent largement faites par Derville au colonel Chabert lui avaient permis d'être vêtu selon son rang. Le défunt arriva donc voituré dans un cabriolet fort propre. Il avait la tête couverte d'une perruque appropriée à sa physionomie, il était habillé de drap bleu, avait du linge blanc, et portait sous
10 son gilet le sautoir rouge des grands officiers de la Légion d'honneur. En reprenant les habitudes de l'aisance, il avait retrouvé son ancienne élégance martiale[2]. Il se tenait droit. Sa figure, grave et mystérieuse, où se peignaient le bonheur et toutes ses espérances, paraissait être rajeunie et plus grasse, pour emprunter à la peinture
15 une de ses expressions les plus pittoresques. Il ne ressemblait pas plus au Chabert en vieux carrick, qu'un gros sou ne ressemble à une pièce de quarante francs nouvellement frappée. À le voir, les passants eussent facilement reconnu en lui l'un de ces beaux débris de notre ancienne armée, un de ces hommes héroïques sur
20 lesquels se reflète notre gloire nationale, et qui la représentent comme un éclat de glace illuminé par le soleil semble en réfléchir tous les rayons. Ces vieux soldats sont tout ensemble des tableaux et des livres. Quand le comte descendit de sa voiture pour monter chez Derville, il sauta légèrement comme aurait pu faire un jeune
25 homme. À peine son cabriolet avait-il retourné, qu'un joli coupé tout armorié[3] arriva. Mme la comtesse Ferraud en sortit dans une toilette simple, mais habilement calculée pour montrer la jeunesse de sa taille. Elle avait une jolie capote[4] doublée de rose qui encadrait parfaitement sa figure, en dissimulait les contours, et la ravi-

---

1. **Avances :** sommes d'argent avancées, c'est-à-dire prêtées par Derville.
2. **Martiale :** propre à la guerre, à l'armée, aux soldats ; ici, élégance s'accompagnant de fermeté et de détermination.
3. **Armorié :** les portes de la voiture sont ornées d'armoiries (signes et ornements en couleur, particuliers à chaque famille de la noblesse).
4. **Capote :** chapeau à brides, garni de rubans.

30 vait[1]. Si les clients s'étaient rajeunis, l'étude était restée semblable à elle-même, et offrait alors le tableau par la description duquel cette histoire a commencé. Simonnin déjeunait, l'épaule appuyée sur la fenêtre qui alors était ouverte ; et il regardait le bleu du ciel par l'ouverture de cette cour entourée de quatre corps de logis[2]

35 noirs.

« Ha ! s'écria le petit clerc, qui veut parier un spectacle que le colonel Chabert est général, et cordon rouge[3] ?

– Le patron est un fameux sorcier ! dit Godeschal.

– Il n'y a donc pas de tour à lui jouer cette fois ? demanda

40 Desroches.

– C'est sa femme qui s'en charge, la comtesse Ferraud ! dit Boucard.

– Allons, dit Godeschal, la comtesse Ferraud serait donc obligée d'être à deux...

45 – La voilà ! » dit Simonnin.

En ce moment, le colonel entra et demanda Derville. « Il y est, monsieur le comte, répondit Simonnin.

– Tu n'es donc pas sourd, petit drôle ? » dit Chabert en prenant le saute-ruisseau par l'oreille et la lui tortillant à la satisfaction

50 des clercs, qui se mirent à rire et regardèrent le colonel avec la curieuse considération due à ce singulier personnage.

Le comte Chabert était chez Derville, au moment où sa femme entra par la porte de l'étude.

« Dites donc, Boucard, il va se passer une singulière scène dans

55 le cabinet du patron ! Voilà une femme qui peut aller les jours pairs chez le comte Ferraud et les jours impairs chez le comte Chabert.

– Dans les années bissextiles[4], dit Godeschal, le compte y sera.

– Taisez-vous donc ! messieurs, l'on peut entendre, dit sévère-

60 ment Boucard ; je n'ai jamais vu d'étude où l'on plaisantât, comme vous le faites, sur les clients. »

---

1. **Ravivait :** rajeunissait.
2. **Corps de logis :** partie principale d'un édifice, servant à l'habitation.
3. **Cordon rouge :** les grands officiers de l'ordre de la Légion d'honneur portent le cordon rouge en sautoir.
4. **Années bissextiles :** années comptant 366 jours, quand le calendrier comporte un 29 février.

Derville avait consigné[1] le colonel dans la chambre à coucher, quand la comtesse se présenta.

« Madame, lui dit-il, ne sachant pas s'il vous serait agréable de
65 voir M. le comte Chabert, je vous ai séparés. Si cependant vous désiriez...

– Monsieur, c'est une attention dont je vous remercie.

– J'ai préparé la minute d'un acte dont les conditions pourront être discutées par vous et par M. Chabert, séance tenante[2]. J'irai
70 alternativement de vous à lui, pour vous présenter, à l'un et à l'autre, vos raisons respectives.

– Voyons, monsieur », dit la comtesse en laissant échapper un geste d'impatience.

Derville lut.

75 « Entre les soussignés[3],

« Monsieur Hyacinthe, *dit Chabert*, comte, maréchal de camp et grand officier de la Légion d'honneur, demeurant à Paris, rue du Petit-Banquier, d'une part ;

« Et la dame Rose Chapotel, épouse de M. le comte Chabert, ci-
80 dessus nommé, née...

– Passez, dit-elle, laissons les préambules[4], arrivons aux conditions.

– Madame, dit l'avoué, le préambule explique succinctement[5] la position dans laquelle vous vous trouvez l'un et l'autre. Puis, par
85 l'article premier, vous reconnaissez, en présence de trois témoins, qui sont deux notaires et le nourrisseur chez lequel a demeuré votre mari, auxquels j'ai confié sous le secret votre affaire, et qui garderont le plus profond silence ; vous reconnaissez, dis-je, que l'individu désigné dans les actes joints au sous-seing[6], mais dont

---

1. **Consigné :** isolé, tenu à l'écart.
2. **Séance tenante :** maintenant.
3. **Entre les soussignés :** entre les personnes dont les signatures figurent à la fin d'un document ou d'une lettre.
4. **Préambules :** tout ce qui précède le propos principal du document.
5. **Succinctement :** brièvement, globalement et sans détails.
6. **Sous-seing :** acte réalisé entre des particuliers, sans l'intervention d'un officier public (notaire, avoué ou autre).

90 l'état[1] se trouve d'ailleurs établi par un acte de notoriété[2] préparé chez Alexandre Crottat, votre notaire, est le comte Chabert, votre premier époux. Par l'article second, le comte Chabert, dans l'intérêt de votre bonheur, s'engage à ne faire usage de ses droits que dans les cas prévus par l'acte lui-même. Et ces cas, dit Derville en
95 faisant une sorte de parenthèse, ne sont autres que la non-exécution des clauses[3] de cette convention secrète. De son côté, reprit-il, M. Chabert consent à poursuivre de gré à gré[4] avec vous un jugement qui annulera son acte de décès et prononcera la dissolution de son mariage.

100   – Ça ne me convient pas du tout, dit la comtesse étonnée, je ne veux pas de procès. Vous savez pourquoi.

– Par l'article trois, dit l'avoué en continuant avec un flegme imperturbable, vous vous engagez à constituer au nom d'Hyacinthe, comte Chabert, une rente viagère[5] de vingt-quatre mille
105 francs, inscrite sur le grand-livre de la dette publique[6], mais dont le capital[7] vous sera dévolu à sa mort...

– Mais c'est beaucoup trop cher, dit la comtesse.

– Pouvez-vous transiger[8] à meilleur marché ?

– Peut-être.

110   – Que voulez-vous donc, madame ?

– Je veux, je ne veux pas de procès, je veux...

– Qu'il reste mort, dit vivement Derville en l'interrompant.

– Monsieur, dit la comtesse, s'il faut vingt-quatre mille livres de rente, nous plaiderons...

115   – Oui, nous plaiderons », s'écria d'une voix sourde le colonel qui ouvrit la porte et apparut tout à coup devant sa femme, en tenant

---

1. **État :** situation.
2. **Acte de notoriété :** acte réalisé devant un notaire sous l'attestation de témoins qui remplacent des preuves écrites inexistantes.
3. **Clauses :** dispositions particulières qui font partie d'un contrat.
4. **De gré à gré :** à l'amiable, en y consentant de part et d'autre.
5. **Rente viagère :** somme allouée chaque année, selon un contrat.
6. **Grand-livre de la dette publique :** il servait à inscrire les droits à pension pour les fonctionnaires, à répertorier le nom de tous les rentiers, à signaler les emprunts de l'État auprès des particuliers.
7. **Capital :** le principal d'une rente.
8. **Transiger :** négocier.

une main dans son gilet et l'autre étendue vers le parquet[1], geste auquel le souvenir de son aventure donnait une horrible énergie[2].

« C'est lui », se dit en elle-même la comtesse.

120 « Trop cher ! reprit le vieux soldat. Je vous ai donné près d'un million, et vous marchandez mon malheur. Eh bien, je vous veux maintenant, vous et votre fortune. Nous sommes communs en biens[3], notre mariage n'a pas cessé...

– Mais monsieur n'est pas le colonel Chabert, s'écria la comtesse
125 en feignant la surprise.

– Ah ! dit le vieillard d'un ton profondément ironique, voulez-vous des preuves ? Je vous ai prise au Palais-Royal[4]... »

La comtesse pâlit. En la voyant pâlir sous son rouge, le vieux soldat, touché de la vive souffrance qu'il imposait à une femme jadis
130 aimée avec ardeur, s'arrêta ; mais il en reçut un regard si venimeux qu'il reprit tout à coup : « Vous étiez chez la...

– De grâce, monsieur, dit la comtesse à l'avoué, trouvez bon que je quitte la place. Je ne suis pas venue ici pour entendre de semblables horreurs. »

135 Elle se leva et sortit. Derville s'élança dans l'étude. La comtesse avait trouvé des ailes et s'était comme envolée. En revenant dans son cabinet, l'avoué trouva le colonel dans un violent accès de rage, et se promenant à grands pas.

« Dans ce temps-là chacun prenait sa femme où il voulait, disait-
140 il ; mais j'ai eu tort de la mal choisir, de me fier à des apparences. Elle n'a pas de cœur.

– Eh bien, colonel, n'avais-je pas raison en vous priant de ne pas venir ? Je suis maintenant certain de votre identité. Quand vous vous êtes montré, la comtesse a fait un mouvement dont la pensée
145 n'était pas équivoque[5]. Mais vous avez perdu votre procès, votre femme sait que vous êtes méconnaissable !

– Je la tuerai...

---

1. **En tenant une main dans son gilet et l'autre étendue vers le parquet :** geste habituel de Napoléon.
2. **Énergie :** qualité bourgeoise à l'époque, et qui doit choquer la comtesse qui se prétend noble depuis son mariage.
3. **Communs en biens :** mariés sous la communauté des biens.
4. **Palais-Royal :** dans une maison de prostitution.
5. **N'était pas équivoque :** était claire et sans ambiguïté.

– Folie ! vous serez pris et guillotiné comme un misérable.
D'ailleurs peut-être manquerez-vous votre coup ! ce serait impar-
donnable, on ne doit jamais manquer sa femme quand on veut la
tuer. Laissez-moi réparer vos sottises, grand enfant ! Allez-vous-en.
Prenez garde à vous, elle serait capable de vous faire tomber dans
quelque piège et de vous enfermer à Charenton. Je vais lui signifier nos actes afin de vous garantir de toute surprise. »

Le pauvre colonel obéit à son jeune bienfaiteur, et sortit en lui
balbutiant des excuses. Il descendait lentement les marches de l'escalier noir, perdu dans des sombres pensées, accablé peut-être par
le coup qu'il venait de recevoir, pour lui le plus cruel, le plus profondément enfoncé dans son cœur, lorsqu'il entendit, en parvenant
au dernier palier, le frôlement d'une robe, et sa femme apparut.

« Venez, monsieur », lui dit-elle en lui prenant le bras par un
mouvement semblable à ceux qui lui étaient familiers autrefois.

L'action de la comtesse, l'accent de sa voix redevenue gracieuse,
suffirent pour calmer la colère du colonel, qui se laissa mener
jusqu'à la voiture.

« Eh bien, montez donc ! » lui dit la comtesse quand le valet eut
achevé de déplier le marchepied[1].

Et il se trouva, comme par enchantement, assis près de sa femme
dans le coupé[2].

« Où va madame ? demanda le valet.

– À Groslay[3] », dit-elle.

Les chevaux partirent et traversèrent tout Paris.

« Monsieur ! » dit la comtesse au colonel d'un son de voix qui
révélait une de ces émotions rares dans la vie, et par lesquelles
tout en nous est agité.

En ces moments, cœur, fibres, nerfs, physionomie, âme et corps,
tout, chaque pore même tressaille. La vie semble ne plus être en
nous ; elle en sort et jaillit, elle se communique comme une conta-
gion, se transmet par le regard, par l'accent de la voix, par le geste,
en imposant notre vouloir aux autres. Le vieux soldat tressaillit
en entendant ce seul mot, ce premier, ce terrible : « Monsieur ! »

---

1. **Marchepied :** marche pour monter ou descendre de voiture.
2. **Coupé :** voiture à deux places.
3. **Groslay :** petite localité proche d'Enghien, dans la région parisienne.

Mais aussi était-ce tout à la fois un reproche, une prière, un pardon, une espérance, un désespoir, une interrogation, une réponse. Ce mot comprenait tout. Il fallait être comédienne pour jeter tant d'éloquence[1], tant de sentiments dans un mot. Le vrai n'est pas si complet dans son expression, il ne met pas tout en dehors, il laisse voir tout ce qui est au-dedans. Le colonel eut mille remords de ses soupçons, de ses demandes, de sa colère, et baissa les yeux pour ne pas laisser deviner son trouble.

« Monsieur, reprit la comtesse après une pause imperceptible, je vous ai bien reconnu !

– Rosine, dit le vieux soldat, ce mot contient le seul baume[2] qui pût me faire oublier mes malheurs. »

Deux grosses larmes roulèrent toutes chaudes sur les mains de sa femme, qu'il pressa pour exprimer une tendresse paternelle.

« Monsieur, reprit-elle, comment n'avez-vous pas deviné qu'il me coûtait horriblement de paraître devant un étranger dans une position aussi fausse que l'est la mienne ! Si j'ai à rougir de ma situation, que ce ne soit au moins qu'en famille. Ce secret ne devait-il pas rester enseveli dans nos cœurs ? Vous m'absoudrez[3], j'espère, de mon indifférence apparente pour les malheurs d'un Chabert à l'existence duquel je ne devais pas croire. J'ai reçu vos lettres, dit-elle vivement, en lisant sur les traits de son mari l'objection qui s'y exprimait, mais elles me parvinrent treize mois après la bataille d'Eylau ; elles étaient ouvertes, salies, l'écriture en était méconnaissable, et j'ai dû croire, après avoir obtenu la signature de Napoléon sur mon nouveau contrat de mariage, qu'un adroit intrigant voulait se jouer de moi. Pour ne pas troubler le repos de M. le comte Ferraud, et ne pas altérer[4] les liens de la famille, j'ai donc dû prendre des précautions contre un faux Chabert. N'avais-je pas raison, dites ?

– Oui, tu as eu raison, c'est moi qui suis un sot, un animal, une bête, de n'avoir pas su mieux calculer les conséquences d'une

---

1. **Éloquence :** expressivité.
2. **Baume :** crème qui apaise la douleur ; ici, au sens figuré.
3. **M'absoudrez :** me pardonnerez.
4. **Altérer :** ternir, gâter.

situation semblable. Mais où allons-nous ? dit le colonel en se voyant à la barrière de La Chapelle[1].

– À ma campagne, près de Groslay, dans la vallée de Montmorency. Là, monsieur, nous réfléchirons ensemble au parti que nous devons prendre. Je connais mes devoirs. Si je suis à vous en droit, je ne vous appartiens plus en fait. Pouvez-vous désirer que nous devenions la fable de tout Paris ? N'instruisons pas le public de cette situation qui pour moi présente un côté ridicule, et sachons garder notre dignité. Vous m'aimez encore, reprit-elle en jetant sur le colonel un regard triste et doux ; mais moi, n'ai-je pas été autorisée à former d'autres liens ? En cette singulière position, une voix secrète me dit d'espérer en votre bonté qui m'est si connue. Aurais-je donc tort en vous prenant pour seul et unique arbitre de mon sort ? Soyez juge et partie[2]. Je me confie à la noblesse de votre caractère. Vous aurez la générosité de me pardonner les résultats de fautes innocentes. Je vous l'avouerai donc, j'aime M. Ferraud. Je me suis crue en droit de l'aimer. Je ne rougis pas de cet aveu devant vous ; s'il vous offense, il ne nous déshonore point. Je ne puis vous cacher les faits. Quand le hasard m'a laissée veuve, je n'étais pas mère. »

Le colonel fit un signe de main à sa femme, pour lui imposer silence, et ils restèrent sans proférer un seul mot pendant une demi-lieue. Chabert croyait voir les deux petits enfants devant lui.

« Rosine !

– Monsieur ?

– Les morts ont donc bien tort de revenir ?

– Oh ! monsieur, non, non ! Ne me croyez pas ingrate. Seulement, vous trouvez une amante, une mère, là où vous aviez laissé une épouse. S'il n'est plus en mon pouvoir de vous aimer, je sais tout ce que je vous dois et puis vous offrir encore toutes les affections d'une fille.

– Rosine, reprit le vieillard d'une voix douce, je n'ai plus aucun ressentiment contre toi. Nous oublierons tout, ajouta-t-il avec

---

1. **Barrière de La Chapelle :** une des portes d'entrée de Paris, située au nord-est de la ville.
2. **Être juge et partie :** juger objectivement dans une affaire où l'on a des intérêts personnels à défendre.

un de ces sourires dont la grâce est toujours le reflet d'une belle âme. Je ne suis pas assez peu délicat pour exiger les semblants de l'amour chez une femme qui n'aime plus. »

250 La comtesse lui lança un regard empreint d'une telle reconnaissance, que le pauvre Chabert aurait voulu rentrer dans sa fosse d'Eylau. Certains hommes ont une âme assez forte pour de tels dévouements, dont la récompense se trouve pour eux dans la certitude d'avoir fait le bonheur d'une personne aimée.

255 « Mon ami, nous parlerons de tout ceci plus tard et à cœur reposé », dit la comtesse.

La conversation prit un autre cours, car il était impossible de la continuer longtemps sur ce sujet. Quoique les deux époux revinssent souvent à leur situation bizarre, soit par des allusions,
260 soit sérieusement, ils firent un charmant voyage, se rappelant les événements de leur union passée et les choses de l'Empire. La comtesse sut imprimer un charme doux à ces souvenirs, et répandit dans la conversation une teinte de mélancolie nécessaire pour y maintenir la gravité. Elle faisait revivre l'amour sans exciter
265 aucun désir, et laissait entrevoir à son premier époux toutes les richesses morales qu'elle avait acquises, en tâchant de l'accoutumer à l'idée de restreindre son bonheur aux seules jouissances que goûte un père près d'une fille chérie. Le colonel avait connu la comtesse de l'Empire, il revoyait une comtesse de la Restauration.
270 Enfin les deux époux arrivèrent par un chemin de traverse à un grand parc situé dans la petite vallée qui sépare les hauteurs de Margency[1] du joli village de Groslay. La comtesse possédait là une délicieuse maison où le colonel vit, en arrivant, tous les apprêts[2] que nécessitaient son séjour et celui de sa femme. Le malheur est
275 une espèce de talisman[3] dont la vertu consiste à corroborer[4] notre constitution primitive[5] : il augmente la défiance et la méchanceté chez certains hommes, comme il accroît la bonté de ceux qui ont

---

1. **Margency :** commune de l'actuel Val-d'Oise, près de Paris, à l'époque simple hameau (petit groupe de maisons).
2. **Apprêts :** arrangements.
3. **Talisman :** objet doué d'un pouvoir magique.
4. **Corroborer :** confirmer, renforcer.
5. **Notre constitution primitive :** notre personnalité, notre caractère d'origine.

un cœur excellent. L'infortune[1] avait rendu le colonel encore plus secourable et meilleur qu'il ne l'avait été, il pouvait donc s'initier au secret des souffrances féminines qui sont inconnues à la plupart des hommes. Néanmoins, malgré son peu de défiance, il ne put s'empêcher de dire à sa femme : « Vous étiez donc bien sûre de m'emmener ici ?

– Oui, répondit-elle, si je trouvais le colonel Chabert dans le plaideur. »

L'air de vérité qu'elle sut mettre dans cette réponse dissipa les légers soupçons que le colonel eut honte d'avoir conçus. Pendant trois jours la comtesse fut admirable près de son premier mari. Par de tendres soins et par sa constante douceur elle semblait vouloir effacer le souvenir des souffrances qu'il avait endurées, se faire pardonner les malheurs que, suivant ses aveux, elle avait innocemment causés ; elle se plaisait à déployer pour lui, tout en lui faisant apercevoir une sorte de mélancolie, les charmes auxquels elle le savait faible ; car nous sommes plus particulièrement accessibles à certaines façons, à des grâces de cœur ou d'esprit auxquelles nous ne résistons pas ; elle voulait l'intéresser à sa situation, et l'attendrir assez pour s'emparer de son esprit et disposer souverainement de lui. Décidée à tout pour arriver à ses fins, elle ne savait pas encore ce qu'elle devait faire de cet homme, mais certes elle voulait l'anéantir socialement. Le soir du troisième jour elle sentit que, malgré ses efforts, elle ne pouvait cacher les inquiétudes que lui causait le résultat de ses manœuvres. Pour se trouver un moment à l'aise, elle monta chez elle, s'assit à son secrétaire[2], déposa le masque de tranquillité qu'elle conservait devant le comte Chabert, comme une actrice qui, rentrant fatiguée dans sa loge après un cinquième acte pénible, tombe demi-morte et laisse dans la salle une image d'elle-même à laquelle elle ne ressemble plus. Elle se mit à finir une lettre commencée qu'elle écrivait à Delbecq, à qui elle disait d'aller, en son nom, demander chez Derville communication des actes qui concernaient le colonel Chabert, de les copier et de venir aussitôt la trouver à Groslay. À peine avait-elle achevé,

---

1. **Infortune :** malheur.
2. **Secrétaire :** meuble à tiroirs où l'on range des papiers. Un abattant qui se baisse et se relève permet d'écrire.

qu'elle entendit dans le corridor le bruit des pas du colonel, qui, tout inquiet, venait la retrouver.

« Hélas ! dit-elle à haute voix, je voudrais être morte ! Ma situa-
315 tion est intolérable...

– Eh ! bien, qu'avez-vous donc ? demanda le bonhomme.

– Rien, rien », dit-elle.

Elle se leva, laissa le colonel et descendit pour parler sans témoin à sa femme de chambre, qu'elle fit partir pour Paris, en lui recom-
320 mandant de remettre elle-même à Delbecq la lettre qu'elle venait d'écrire, et de la lui rapporter aussitôt qu'il l'aurait lue. Puis la comtesse alla s'asseoir sur un banc où elle était assez en vue pour que le colonel vînt l'y trouver aussitôt qu'il le voudrait. Le colonel, qui déjà cherchait sa femme, accourut et s'assit près d'elle.

325 « Rosine, lui dit-il, qu'avez-vous ? »

Elle ne répondit pas. La soirée était une de ces soirées magni-
fiques et calmes dont les secrètes harmonies répandent, au mois de juin, tant de suavité[1] dans les couchers du soleil. L'air était pur et le silence profond, en sorte que l'on pouvait entendre dans le
330 lointain du parc les voix de quelques enfants qui ajoutaient une sorte de mélodie aux sublimités du paysage.

« Vous ne me répondez pas ? demanda le colonel à sa femme.

– Mon mari..., dit la comtesse, qui s'arrêta, fit un mouvement, et s'interrompit pour lui demander en rougissant : Comment dirai-je
335 en parlant de M. le comte Ferraud ?

– Nomme-le ton mari, ma pauvre enfant, répondit le colonel avec un accent de bonté, n'est-ce pas le père de tes enfants ?

– Eh bien, reprit-elle, si monsieur me demande ce que je suis venue faire ici, s'il apprend que je m'y suis enfermée avec un
340 inconnu, que lui dirai-je ? Écoutez, monsieur, reprit-elle en prenant une attitude pleine de dignité, décidez de mon sort, je suis rési-
gnée à tout...

– Ma chère, dit le colonel en s'emparant des mains de sa femme, j'ai résolu de me sacrifier entièrement à votre bonheur...

---

1. **Suavité :** douceur.

345   – Cela est impossible, s'écria-t-elle en laissant échapper un mouvement convulsif. Songez donc que vous devriez alors renoncer à vous-même et d'une manière authentique[1]...

     – Comment, dit le colonel, ma parole ne vous suffit pas ? »

     Le mot *authentique* tomba sur le cœur du vieillard et y réveilla
350 des défiances involontaires. Il jeta sur sa femme un regard qui la fit rougir, elle baissa les yeux, et il eut peur de se trouver obligé de la mépriser. La comtesse craignait d'avoir effarouché la sauvage pudeur, la probité sévère d'un homme dont le caractère généreux, les vertus primitives lui étaient connus. Quoique ces idées eussent
355 répandu quelques nuages sur leurs fronts, la bonne harmonie se rétablit aussitôt entre eux. Voici comment. Un cri d'enfant retentit au loin.

     « Jules, laissez votre sœur tranquille, s'écria la comtesse.

     – Quoi ! vos enfants sont ici ? dit le colonel.
360   – Oui, mais je leur ai défendu de vous importuner[2]. »

     Le vieux soldat comprit la délicatesse, le tact de femme renfermé dans ce procédé si gracieux, et prit la main de la comtesse pour la baiser.

     « Qu'ils viennent donc », dit-il.
365   La petite fille accourait pour se plaindre de son frère.

     « Maman !

     – Maman !

     – C'est lui qui...

     – C'est elle... »
370   Les mains étaient étendues vers la mère, et les deux voix enfantines se mêlaient. Ce fut un tableau soudain et délicieux !

     « Pauvres enfants ! s'écria la comtesse en ne retenant plus ses larmes, il faudra les quitter ; à qui le jugement les donnera-t-il ? On ne partage pas un cœur de mère, je les veux, moi !
375   – Est-ce vous qui faites pleurer maman ? dit Jules en jetant un regard de colère au colonel.

     – Taisez-vous, Jules », s'écria la mère d'un air impérieux.

---

1. **D'une manière authentique :** sous une forme légale, par un acte officiel.
2. **Importuner :** ennuyer.

Les deux enfants restèrent debout et silencieux, examinant leur mère et l'étranger avec une curiosité qu'il est impossible d'exprimer par des paroles.

« Oh ! oui, reprit-elle, si l'on me sépare du comte, qu'on me laisse les enfants, et je serai soumise à tout... »

Ce fut un mot décisif qui obtint tout le succès qu'elle en avait espéré.

« Oui, s'écria le colonel comme s'il achevait une phrase mentalement commencée, je dois rentrer sous terre. Je me le suis déjà dit.

– Puis-je accepter un tel sacrifice ? répondit la comtesse. Si quelques hommes sont morts pour sauver l'honneur de leur maîtresse, ils n'ont donné leur vie qu'une fois. Mais ici vous donneriez votre vie tous les jours ! Non, non, cela est impossible. S'il ne s'agissait que de votre existence, ce ne serait rien ; mais signer que vous n'êtes pas le colonel Chabert, reconnaître que vous êtes un imposteur[1], donner votre honneur, commettre un mensonge à toute heure du jour, le dévouement humain ne saurait aller jusque-là. Songez donc ! Non. Sans mes pauvres enfants, je me serais déjà enfuie avec vous au bout du monde...

– Mais, reprit Chabert, est-ce que je ne puis pas vivre ici, dans votre petit pavillon, comme un de vos parents ? Je suis usé comme un canon de rebut, il ne me faut qu'un peu de tabac et *Le Constitutionnel*[2]. »

La comtesse fondit en larmes. Il y eut entre la comtesse Ferraud et le colonel Chabert un combat de générosité d'où le soldat sortit vainqueur. Un soir, en voyant cette mère au milieu de ses enfants, le soldat fut séduit par les touchantes grâces d'un tableau de famille, à la campagne, dans l'ombre et le silence ; il prit la résolution de rester mort, et, ne s'effrayant plus de l'authenticité d'un acte, il demanda comment il fallait s'y prendre pour assurer irrévocablement[3] le bonheur de cette famille.

---

1. **Imposteur :** individu qui trompe son entourage sur son identité et ses projets.
2. **Le Constitutionnel :** journal favorable aux idées bonapartistes. Fondé pendant les Cent-Jours.
3. **Irrévocablement :** sans qu'on puisse revenir en arrière.

« Faites comme vous voudrez ! lui répondit la comtesse, je vous
déclare que je ne me mêlerai en rien de cette affaire. Je ne le dois
pas. »

Delbecq était arrivé depuis quelques jours, et, suivant les ins-
tructions verbales de la comtesse, l'intendant avait su gagner la
confiance du vieux militaire. Le lendemain matin donc, le colonel
Chabert partit avec l'ancien avoué pour Saint-Leu-Taverny[1], où
Delbecq avait fait préparer chez le notaire un acte conçu en termes
si crus que le colonel sortit brusquement de l'étude après en avoir
entendu la lecture.

« Mille tonnerres ! je serais un joli coco ! Mais je passerais pour
un faussaire[2], s'écria-t-il.

– Monsieur, lui dit Delbecq, je ne vous conseille pas de signer
trop vite. À votre place je tirerais au moins trente mille livres de
rente de ce procès-là, car madame les donnerait. »

Après avoir foudroyé ce coquin émérite[3] par le lumineux regard
de l'honnête homme indigné, le colonel s'enfuit emporté par mille
sentiments contraires. Il redevint défiant, s'indigna, se calma tour à
tour. Enfin il entra dans le parc de Groslay par la brèche d'un mur,
et vint à pas lents se reposer et réfléchir à son aise dans un cabinet[4] pratiqué sous un kiosque[5] d'où l'on découvrait le chemin de
Saint-Leu[6]. L'allée étant sablée avec cette espèce de terre jaunâtre
par laquelle on remplace le gravier de rivière, la comtesse, qui était
assise dans le petit salon de cette espèce de pavillon, n'entendit pas
le colonel, car elle était trop préoccupée du succès de son affaire
pour prêter la moindre attention au léger bruit que fit son mari.
Le vieux soldat n'aperçut pas non plus sa femme au-dessus de lui
dans le petit pavillon.

---

1. **Saint-Leu-Taverny :** ancienne commune de Seine-et-Oise, dans la vallée de
   Montmorency.
2. **Faussaire :** personne qui produit un faux, qui imite, qui falsifie quelque chose
   d'authentique.
3. **Émérite :** qui a une longue pratique de ce genre de procédés ; ici canaille très
   expérimentée.
4. **Cabinet :** ici, lieu calme et isolé dans un parc ou un jardin.
5. **Kiosque :** petit pavillon de jardin.
6. **Saint-Leu :** Saint-Leu-Taverny.

« Eh bien, monsieur Delbecq, a-t-il signé ? demanda la comtesse à son intendant qu'elle vit seul sur le chemin par-dessus la haie d'un saut-de-loup[1].

440 — Non, madame. Je ne sais même pas ce que notre homme est devenu. Le vieux cheval s'est cabré.

— Il faudra donc finir par le mettre à Charenton, dit-elle, puisque nous le tenons. »

Le colonel, qui retrouva l'élasticité de la jeunesse pour franchir

445 le saut-de-loup, fut en un clin d'œil devant l'intendant, auquel il appliqua la plus belle paire de soufflets[2] qui jamais ait été reçue sur deux joues de procureur.

« Ajoute que les vieux chevaux savent ruer », lui dit-il.

Cette colère dissipée, le colonel ne se sentit plus la force de

450 sauter le fossé. La vérité s'était montrée dans sa nudité. Le mot de la comtesse et la réponse de Delbecq avaient dévoilé le complot dont il allait être la victime. Les soins qui lui avaient été prodigués étaient une amorce pour le prendre dans un piège. Ce mot fut comme une goutte de quelque poison subtil qui détermina chez

455 le vieux soldat le retour de ses douleurs et physiques et morales. Il revint vers le kiosque par la porte du parc, en marchant lentement, comme un homme affaissé. Donc, ni paix ni trêve pour lui ! Dès ce moment il fallait commencer avec cette femme la guerre odieuse dont lui avait parlé Derville, entrer dans une vie de procès, se nour-

460 rir de fiel[3], boire chaque matin un calice d'amertume[4]. Puis, pensée affreuse, où trouver l'argent nécessaire pour payer les frais des premières instances[5] ? Il lui prit un si grand dégoût de la vie, que s'il y avait eu de l'eau près de lui il s'y serait jeté, que s'il avait eu des pistolets il se serait brûlé la cervelle. Puis il retomba dans l'incerti-

465 tude d'idées, qui, depuis sa conversation avec Derville chez le nourrisseur, avait changé son moral. Enfin, arrivé devant le kiosque, il

---

1. **Saut-de-loup :** large fossé qui forme la limite d'un parc et laisse voir un large horizon devant soi.
2. **Soufflets :** gifles.
3. **Fiel :** liquide amer. Ici douleur, chagrin, malveillance.
4. **Boire un calice d'amertume :** épuiser tout ce qu'il y a d'amertume dans une situation terrible.
5. **Premières instances :** les frais du procès engagé auprès du tribunal de première Instance.

monta dans le cabinet aérien dont les rosaces de verre offraient la vue de chacune des ravissantes perspectives de la vallée, et où il trouva sa femme assise sur une chaise. La comtesse examinait le paysage et gardait une contenance pleine de calme en montrant cette impénétrable physionomie que savent prendre les femmes déterminées à tout. Elle s'essuya les yeux comme si elle eût versé des pleurs, et joua par un geste distrait avec le long ruban rose de sa ceinture. Néanmoins, malgré son assurance apparente, elle ne put s'empêcher de frissonner en voyant devant elle son vénérable bienfaiteur, debout, les bras croisés, la figure pâle, le front sévère.

« Madame, dit-il après l'avoir regardée fixement pendant un moment et l'avoir forcée à rougir, madame, je ne vous maudis pas, je vous méprise. Maintenant, je remercie le hasard qui nous a désunis. Je ne sens même pas un désir de vengeance, je ne vous aime plus. Je ne veux rien de vous. Vivez tranquille sur la foi de ma parole, elle vaut mieux que les griffonnages de tous les notaires de Paris. Je ne réclamerai jamais le nom que j'ai peut-être illustré. Je ne suis plus qu'un pauvre diable nommé Hyacinthe, qui ne demande que sa place au soleil. Adieu... »

La comtesse se jeta aux pieds du colonel, et voulut le retenir en lui prenant les mains ; mais il la repoussa avec dégoût, en lui disant : « Ne me touchez pas. »

La comtesse fit un geste intraduisible lorsqu'elle entendit le bruit des pas de son mari. Puis, avec la profonde perspicacité[1] que donne une haute scélératesse ou le féroce égoïsme du monde, elle crut pouvoir vivre en paix sur la promesse et le mépris de ce loyal soldat.

Chabert disparut en effet. Le nourrisseur fit faillite et devint cocher de cabriolet. Peut-être le colonel s'adonna-t-il[2] d'abord à quelque industrie[3] du même genre. Peut-être, semblable à une pierre lancée dans un gouffre, alla-t-il, de cascade en cascade, s'abîmer[4] dans cette boue de haillons qui foisonne à travers les rues de Paris.

---

1. **Perspicacité :** clairvoyance, finesse.
2. **S'adonna-t-il :** verbe « s'adonner à », se consacrer à.
3. **Industrie :** profession.
4. **S'abîmer :** tomber, s'effondrer.

Clefs d'analyse

Action et personnages

1. Dans quel esprit Chabert arrive-t-il à son rendez-vous avec Derville ? Comment sa tenue traduit-elle son humeur ?

2. Quelles sont les trois conditions mentionnées dans les articles de l'acte préparé par Derville ? Sur quelle question la comtesse refuse-t-elle tout compromis ?

3. Expliquez la réaction de Chabert. De quelle manière s'exprime sa colère ? Quel sera, d'après Derville, l'effet négatif de cette intrusion soudaine ?

4. La comtesse a refusé de reconnaître le revenant qui se présentait à elle comme son mari : quels arguments avance-t-elle pour justifier sa conduite ?

5. Dans quelle intention emmène-t-elle le colonel à la campagne ? Montrez l'habileté de ses arguments durant le voyage.

6. Comment s'y prend la comtesse pour amadouer son premier mari pendant son séjour à la campagne ? De quelle manière utilise-t-elle ses enfants ? Que se passe-t-il dans le cœur du colonel ?

7. Quel type d'acte s'apprête à signer Chabert ? Mesurez l'importance de son sacrifice en vous fondant sur les termes-clés de l'acte.

8. Expliquez sa réaction quand il refuse soudain de signer.

9. Qui est Delbecq ? Quel rôle joue-t-il dans le « complot » contre Chabert ?

10. Comment se termine la scène du parc de Groslay ? Qui a gagné : la comtesse ou Chabert ?

Langue

11. Chabert appelle la comtesse « Rosine » et il la tutoie : que signalent ces emplois ?

12. « La vérité s'était montrée dans sa nudité » : à quelle figure de style cette phrase doit-elle sa force expressive ? Que veut dire le narrateur ?

Genre ou thèmes

13. « Elle n'a pas de cœur », déclare Chabert dans le bureau de Derville. Montrez la justesse de ce jugement en vous référant aux paroles et aux actions de la comtesse.

14. Isolez un ou deux passages dans lesquels Balzac interrompt la narration pour exprimer un commentaire sur un personnage ou une idée générale. Ces interruptions gênent-elles ou enrichissent-elles la lecture ?

15. En vous fondant sur la définition qui vous est donnée dans la rubrique « À retenir », montrez que Balzac adopte un point de vue omniscient pour parler des pensées, des émotions et des intentions de la comtesse.

Écriture

16. Que pensez-vous du personnage de la comtesse dans cet épisode ? A-t-elle raison de défendre ses intérêts ou est-elle coupable dans ses pensées et ses actions vis-à-vis du colonel Chabert ? Développez votre point de vue en faisant référence à des détails significatifs du récit.

17. Le colonel Chabert écrit une lettre à Derville pour lui expliquer ce qui s'est passé à Groslay et lui dire qu'il renonce à tout par dégoût de la vie.

Pour aller plus loin

18. La comtesse veut faire enfermer son ex-mari à Charenton. Prenez quelques renseignements sur cet établissement redoutable à l'époque.

> ## ✳ À retenir
>
> Dans un récit, le narrateur peut, au choix, adopter différents points de vue quand il met en scène ses personnages. Avec le point de vue omniscient, il lit dans le cœur, la sensibilité et l'esprit du personnage, il connaît tout de lui. Avec le point de vue interne, il présente les événements à travers la perception qu'en a un autre personnage. Enfin avec le point de vue externe, il reste neutre et livre au lecteur une image extérieure des faits.

Clefs d'analyse

Honoré de Balzac

Six mois après cet événement, Derville, qui n'entendait plus parler ni du colonel Chabert ni de la comtesse Ferraud, pensa qu'il était survenu sans doute entre eux une transaction, que, par vengeance, la comtesse avait fait dresser[1] dans une autre étude. Alors, un matin, il supputa[2] les sommes avancées audit[3] Chabert, y ajouta les frais, et pria la comtesse Ferraud de réclamer à M. le comte Chabert le montant de ce mémoire[4], en présumant qu'elle savait où se trouvait son premier mari.

Le lendemain même l'intendant du comte Ferraud, récemment nommé président du tribunal de première instance dans une ville importante, écrivit à Derville ce mot désolant :

« Monsieur,

« Mme la comtesse Ferraud me charge de vous prévenir que votre client avait complètement abusé de votre confiance, et que l'individu qui disait être le comte Chabert a reconnu avoir indûment[5] pris de fausses qualités.

« Agréez, etc.

« Delbecq. »

« On rencontre des gens qui sont aussi, ma parole d'honneur, par trop bêtes. Ils ont volé le baptême[6], s'écria Derville. Soyez donc humain, généreux, philanthrope et avoué, vous vous faites enfoncer ! Voilà une affaire qui me coûte plus de deux billets de mille francs. »

Quelque temps après la réception de cette lettre, Derville cherchait au Palais un avocat auquel il voulait parler, et qui plaidait à la Police correctionnelle[7]. Le hasard voulut que Derville entrât

---

1. **Dresser :** réaliser.
2. **Supputa :** évalua.
3. **Audit :** au nommé.
4. **Mémoire :** ici, facture, relevé des sommes dues.
5. **Indûment :** de façon illégale.
6. **Ils ont volé le baptême :** ils ne respectent rien ; rien n'est sacré à leurs yeux.
7. **Police correctionnelle :** tribunal qui juge des délits.

à la Sixième Chambre au moment où le président condamnait comme vagabond le nommé Hyacinthe à deux mois de prison, et ordonnait qu'il fût ensuite conduit au dépôt de mendicité de
30 Saint-Denis[1], sentence qui, d'après la jurisprudence des préfets de police, équivaut à une détention perpétuelle. Au nom d'Hyacinthe, Derville regarda le délinquant assis entre deux gendarmes sur le banc des prévenus[2] et reconnut, dans la personne du condamné, son faux colonel Chabert. Le vieux soldat était calme, immobile,
35 presque distrait. Malgré ses haillons, malgré la misère empreinte sur sa physionomie, elle déposait[3] d'une noble fierté. Son regard avait une expression de stoïcisme[4] qu'un magistrat n'aurait pas dû méconnaître ; mais, dès qu'un homme tombe entre les mains de la justice, il n'est plus qu'un être moral, une question de Droit
40 ou de Fait, comme aux yeux des statisticiens il devient un chiffre. Quand le soldat fut reconduit au Greffe[5] pour être emmené plus tard avec la fournée de vagabonds que l'on jugeait en ce moment, Derville usa du droit qu'ont les avoués d'entrer partout au Palais, l'accompagna au Greffe et l'y contempla pendant quelques ins-
45 tants, ainsi que les curieux mendiants parmi lesquels il se trouvait. L'antichambre du Greffe offrait alors un de ces spectacles que malheureusement ni les législateurs[6], ni les philanthropes[7], ni les peintres, ni les écrivains ne viennent étudier. Comme tous les laboratoires de la chicane, cette antichambre est une pièce
50 obscure et puante, dont les murs sont garnis d'une banquette en bois noirci par le séjour perpétuel des malheureux qui viennent à ce rendez-vous de toutes les misères sociales, et auquel pas un d'eux ne manque. Un poète dirait que le jour a honte d'éclairer ce terrible égout par lequel passent tant d'infortunes ! Il n'est pas
55 une seule place où ne se soit assis quelque crime en germe ou

---

1. **Dépôt de mendicité de Saint-Denis :** lieu de détention réservé aux individus condamnés pour mendicité.
2. **Prévenus :** accusés.
3. **Déposait :** témoignait, révélait.
4. **Stoïcisme :** austérité, fermeté dans la douleur.
5. **Greffe :** lieu d'un tribunal où l'on dépose les minutes des actes de procédure.
6. **Législateurs :** ceux qui font les lois.
7. **Philanthropes :** qui aiment l'humanité.

consommé[1] ; pas un seul endroit où ne se soit rencontré quelque homme qui, désespéré par la légère flétrissure que la justice avait imprimée à sa première faute, n'ait commencé une existence au bout de laquelle devait se dresser la guillotine, ou détoner[2] le
60 pistolet du suicide. Tous ceux qui tombent sur le pavé de Paris rebondissent contre ces murailles jaunâtres, sur lesquelles un philanthrope qui ne serait pas un spéculateur pourrait déchiffrer la justification des nombreux suicides dont se plaignent des écrivains hypocrites, incapables de faire un pas pour les prévenir[3], et qui
65 se trouve écrite dans cette antichambre, espèce de préface pour les drames de la Morgue[4] ou pour ceux de la place de Grève[5]. En ce moment le colonel Chabert s'assit au milieu de ces hommes à faces énergiques, vêtus des horribles livrées[6] de la misère, silencieux par intervalles, ou causant à voix basse, car trois gendarmes
70 de faction[7] se promenaient en faisant retentir leurs sabres sur le plancher.

« Me reconnaissez-vous ? dit Derville au vieux soldat en se plaçant devant lui.

– Oui, monsieur, répondit Chabert en se levant.

75 – Si vous êtes un honnête homme, reprit Derville à voix basse, comment avez-vous pu rester mon débiteur[8] ? »

Le vieux soldat rougit comme aurait pu le faire une jeune fille accusée par sa mère d'un amour clandestin.

« Quoi ! Mme Ferraud ne vous a pas payé ? s'écria-t-il à haute
80 voix.

– Payé ! dit Derville. Elle m'a écrit que vous étiez un intrigant. »

---

1. **Consommé :** accompli.
2. **Détoner :** faire un bruit explosif.
3. **Prévenir :** empêcher.
4. **Morgue :** lieu où sont entreposés les cadavres qui nécessitent une recherche sur la cause du décès.
5. **Place de Grève :** aujourd'hui place de l'Hôtel-de-Ville dans le Ier arrondissement de Paris. Cette place était le lieu où étaient exécutés les criminels.
6. **Livrées :** uniformes des domestiques attachés à une maison ; ici, les vêtements des prévenus sont les signes de leur misère.
7. **De faction :** de garde.
8. **Débiteur :** celui qui a des dettes.

Le colonel leva les yeux par un sublime mouvement d'horreur et d'imprécation[1], comme pour en appeler au ciel de cette tromperie nouvelle.

85 « Monsieur, dit-il d'une voix calme à force d'altération[2], obtenez des gendarmes la faveur de me laisser entrer au Greffe, je vais vous signer un mandat[3] qui sera certainement acquitté[4]. »

Sur un mot dit par Derville au brigadier, il lui fut permis d'emmener son client dans le Greffe, où Hyacinthe écrivit quelques
90 lignes adressées à la comtesse Ferraud.

« Envoyez cela chez elle, dit le soldat, et vous serez remboursé de vos frais et de vos avances. Croyez, monsieur, que si je ne vous ai pas témoigné la reconnaissance que je vous dois pour vos bons offices[5], elle n'en est pas moins là, dit-il en se mettant la main sur
95 le cœur. Oui, elle est là, pleine et entière. Mais que peuvent les malheureux ? Ils aiment, voilà tout.

– Comment, lui dit Derville, n'avez-vous pas stipulé[6] pour vous quelque rente ?

– Ne me parlez pas de cela ! répondit le vieux militaire. Vous ne
00 pouvez pas savoir jusqu'où va mon mépris pour cette vie extérieure à laquelle tiennent la plupart des hommes. J'ai subitement été pris d'une maladie, le dégoût de l'humanité. Quand je pense que Napoléon est à Sainte-Hélène[7], tout ici-bas m'est indifférent. Je ne puis plus être soldat, voilà tout mon malheur. Enfin, ajouta-t-il
05 en faisant un geste plein d'enfantillage, il vaut mieux avoir du luxe dans ses sentiments que sur ses habits. Je ne crains, moi, le mépris de personne. »

Et le colonel alla se remettre sur son banc. Derville sortit. Quand il revint à son étude, il envoya Godeschal, alors son second clerc,

---

1. **Imprécation :** malédiction, souhait que l'on fait contre une personne.
2. **Altération :** profonde émotion.
3. **Mandat :** document portant l'ordre de payer une certaine somme à la personne qui y est nommée.
4. **Acquitté :** payé.
5. **Vos bons offices :** les services que vous m'avez rendus.
6. **Stipulé :** de « stipuler », énoncer précisément comme condition.
7. **Sainte-Hélène :** île volcanique de l'océan Atlantique sud, où fut emprisonné Napoléon de 1815 à sa mort (5 mai 1821).

110 chez la comtesse Ferraud, qui, à la lecture du billet, fit immédiatement payer la somme due à l'avoué du comte Chabert.

En 1840[1], vers la fin du mois de juin, Godeschal, alors avoué, allait à Ris[2], en compagnie de Derville son prédécesseur. Lorsqu'ils parvinrent à l'avenue qui conduit de la grande route à Bicêtre[3],
115 ils aperçurent sous un des ormes du chemin un de ces vieux pauvres chenus[4] et cassés qui ont obtenu le bâton de maréchal[5] des mendiants en vivant à Bicêtre comme les femmes indigentes[6] vivent à la Salpêtrière[7]. Cet homme, l'un des deux mille malheureux logés dans l'*hospice de la Vieillesse*, était assis sur une borne
120 et paraissait concentrer toute son intelligence dans une opération bien connue des invalides, et qui consiste à faire sécher au soleil le tabac de leurs mouchoirs[8], pour éviter de les blanchir, peut-être. Ce vieillard avait une physionomie attachante. Il était vêtu de cette robe de drap rougeâtre que l'Hospice accorde à ses hôtes, espèce
125 de livrée horrible.

« Tenez, Derville, dit Godeschal à son compagnon de voyage, voyez donc ce vieux. Ne ressemble-t-il pas à ces grotesques qui nous viennent d'Allemagne[9] ? Et cela vit, et cela est heureux peut-être ! »
130 Derville prit son lorgnon, regarda le pauvre, laissa échapper un mouvement de surprise et dit : « Ce vieux-là, mon cher, est tout un poème, ou, comme disent les romantiques, un drame. As-tu rencontré quelquefois la comtesse Ferraud ?

---

1. **1840 :** date d'arrivée au pouvoir de Guizot et du rapatriement à Paris des restes de Napoléon.
2. **Ris :** aujourd'hui Ris-Orangis, au sud de Paris.
3. **Bicêtre :** asile pour les pauvres, les personnes âgées sans revenus, les malades incurables et les fous.
4. **Chenus :** aux cheveux blancs.
5. **Bâton de maréchal :** insigne accordé comme promotion suprême à un militaire en fin de carrière. Ironique ici.
6. **Indigentes :** misérables, sans toit ni revenus.
7. **Salpêtrière :** hospice réservé aux femmes.
8. **Mouchoirs :** d'une couleur foncée, les mouchoirs à tabac servent à enfermer le tabac des fumeurs de pipe.
9. **Ces grotesques qui nous viennent d'Allemagne :** peut-être allusion aux figures qui décorent les pots de bière et certains vases fabriqués en Allemagne. La référence n'est pas claire.

– Oui, c'est une femme d'esprit et très agréable ; mais un peu trop dévote[1], dit Godeschal.

– Ce vieux bicêtrien est son mari légitime, le comte Chabert, l'ancien colonel, elle l'aura sans doute fait placer là. S'il est dans cet hospice au lieu d'habiter un hôtel, c'est uniquement pour avoir rappelé à la jolie comtesse Ferraud qu'il l'avait prise, comme un fiacre, sur la place[2]. Je me souviens encore du regard de tigre qu'elle lui jeta dans ce moment-là. »

Ce début ayant excité la curiosité de Godeschal, Derville lui raconta l'histoire qui précède. Deux jours après, le lundi matin, en revenant à Paris, les deux amis jetèrent un coup d'œil sur Bicêtre, et Derville proposa d'aller voir le colonel Chabert. À moitié chemin de l'avenue, les deux amis trouvèrent assis sur la souche d'un arbre abattu le vieillard qui tenait à la main un bâton et s'amusait à tracer des raies sur le sable. En le regardant attentivement, ils s'aperçurent qu'il venait de déjeuner autre part qu'à l'établissement.

« Bonjour, colonel Chabert, lui dit Derville.

– Pas Chabert ! pas Chabert ! Je me nomme Hyacinthe, répondit le vieillard. Je ne suis plus un homme, je suis le numéro 164, septième salle, ajouta-t-il en regardant Derville avec une anxiété peureuse, avec une crainte de vieillard et d'enfant. Vous allez voir le condamné à mort ? dit-il après un moment de silence. Il n'est pas marié, lui ! Il est bien heureux.

– Pauvre homme, dit Godeschal. Voulez-vous de l'argent pour acheter du tabac ? »

Avec toute la naïveté d'un gamin de Paris, le colonel tendit avidement la main à chacun des deux inconnus qui lui donnèrent une pièce de vingt francs ; il les remercia par un regard stupide, en disant : « Braves troupiers ! » Il se mit au port d'armes[3], feignit de les coucher en joue[4], et s'écria en souriant : « Feu des deux

---

1. **Dévote :** tournée vers la religion.
2. **La place :** la place du Palais-Royal (voir note 4, p. 88).
3. **Il se mit au port d'armes :** dans l'attitude du soldat qui porte les armes.
4. **Coucher en joue :** viser.

165 pièces[1] ! vive Napoléon ! » Et il décrivit en l'air avec sa canne une arabesque imaginaire.

« Le genre de sa blessure l'aura fait tomber en enfance, dit Derville.

– Lui en enfance ! s'écria un vieux bicêtrien qui les regardait.
170 Ah ! il y a des jours où il ne faut pas lui marcher sur le pied. C'est un vieux malin plein de philosophie et d'imagination. Mais aujourd'hui, que voulez-vous ? il a fait le lundi[2]. Monsieur, en 1820 il était déjà ici. Pour lors, un officier prussien, dont la calèche montait la côte de Villejuif, vint à passer à pied. Nous étions, nous
175 deux Hyacinthe et moi, sur le bord de la route. Cet officier causait en marchant avec un autre, avec un Russe, ou quelque animal de la même espèce, lorsqu'en voyant l'ancien, le Prussien, histoire de blaguer, lui dit : "Voilà un vieux voltigeur[3] qui devait être à Rossbach[4]. – J'étais trop jeune pour y être, lui répondit-il, mais j'ai
180 été assez vieux pour me trouver à Iéna[5]." Pour lors le Prussien a filé, sans faire d'autres questions.

– Quelle destinée ! s'écria Derville. Sorti de l'hospice des *Enfants trouvés*, il revient mourir à l'hospice de la *Vieillesse*, après avoir, dans l'intervalle, aidé Napoléon à conquérir l'Égypte et l'Europe.
185 Savez-vous, mon cher, reprit Derville après une pause, qu'il existe dans notre société trois hommes, le Prêtre, le Médecin et l'Homme de justice, qui ne peuvent pas estimer le monde ? Ils ont des robes noires, peut-être parce qu'ils portent le deuil de toutes les vertus, de toutes les illusions. Le plus malheureux des trois est l'avoué.
190 Quand l'homme vient trouver le prêtre, il arrive poussé par le repentir, par le remords, par des croyances qui le rendent intéressant, qui le grandissent, et consolent l'âme du médiateur[6], dont la tâche ne va pas sans une sorte de jouissance : il purifie, il répare, et réconcilie. Mais, nous autres avoués, nous voyons se répéter les

---

1. **Feu des deux pièces :** Chabert vient de recevoir deux pièces d'or qu'on appelait alors des napoléons. « Faire feu » se dit aussi d'un soldat qui tire un coup de fusil.
2. **Il a fait le lundi :** « faire le lundi », c'est-à-dire se livrer aux amusements du cabaret, boire et se distraire.
3. **Voltigeur :** soldat d'élite.
4. **Rossbach :** la France y fut vaincue par Frédéric II de Prusse (1757).
5. **Iéna :** victoire de Napoléon sur l'armée prussienne (14 octobre 1806).
6. **Médiateur :** ici, le prêtre par qui passe la confession.

mêmes sentiments mauvais, rien ne les corrige, nos études sont des égouts qu'on ne peut pas curer[1]. Combien de choses n'ai-je pas apprises en exerçant ma charge ! J'ai vu mourir un père dans un grenier, sans sou ni maille[2], abandonné par deux filles auxquelles il avait donné quarante mille livres de rente ! J'ai vu brûler des testaments ; j'ai vu des mères dépouillant leurs enfants, des maris volant leurs femmes, des femmes tuant leurs maris en se servant de l'amour qu'elles leur inspiraient pour les rendre fous ou imbéciles, afin de vivre en paix avec un amant. J'ai vu des femmes donnant à l'enfant d'un premier lit des goûts qui devaient amener sa mort, afin d'enrichir l'enfant de l'amour[3]. Je ne puis vous dire tout ce que j'ai vu, car j'ai vu des crimes contre lesquels la justice est impuissante. Enfin, toutes les horreurs que les romanciers croient inventer sont toujours au-dessous de la vérité. Vous allez connaître ces jolies choses-là, vous ; moi, je vais vivre à la campagne avec ma femme, Paris me fait horreur.

– J'en ai déjà bien vu chez Desroches[4] », répondit Godeschal.

Paris, février-mars 1832.

---

1. **Curer :** nettoyer.
2. **Sans sou ni maille :** « N'avoir ni sou ni maille » ; être très pauvre (allusion au père Goriot, personnage principal du roman *Le Père Goriot* dans *La Comédie humaine*).
3. **L'enfant de l'amour :** l'enfant qu'elles ont eu avec un deuxième mari très aimé, ou avec un amant adoré.
4. **Desroches :** clerc devenu avoué.

Clefs d'analyse

Action et personnages

1. Pour quelle raison Derville croit-il avoir été berné ? Quel sentiment traduit son exclamation « soyez donc humain, généreux [...], vous vous faites enfoncer » ?

2. Dans quelles circonstances le hasard remet-il face à face Chabert et Derville ?

3. Quel contraste Derville note-t-il sur la personne du colonel ? Doit-on s'en étonner ?

4. Quel malentendu le bref dialogue entre Derville et Chabert au Tribunal permet-il de lever ? Commentez la conduite de Chabert en faisant le lien avec ce que nous connaissons du caractère et des valeurs chères à ce personnage.

5. Quels arguments Chabert avance-t-il pour justifier sa conduite avec la comtesse ? Comment voit-il le monde désormais ?

6. Par quel hasard Derville revoit-il une dernière fois le colonel Chabert ? En quelle année ? Que s'est-il passé depuis leur dernière rencontre ?

7. Depuis combien de temps Chabert est-il à Bicêtre ? Que sont devenus la comtesse, Derville et Godeschal ?

8. Chabert est-il tombé en enfance ? Étudiez ses gestes et ses paroles, et faites le lien avec l'anecdote rapportée par le vieux bicêtrien.

9. Pourquoi Derville part-il vivre à la campagne ?

Langue

10. Que désigne l'expression « laboratoires de la chicane » ? Que suggère la métaphore « laboratoire » ?

11. Relevez le champ lexical de la misère dans l'évocation de l'antichambre du Greffe. Faites le lien avec l'expression « ce terrible égout ».

12. Que met en évidence la reprise du verbe « j'ai vu » dans les dernières paroles de Derville ? Qu'apprend-on sur le métier d'avoué ?

Genre ou thèmes

13. « L'intendant [...] écrivit à Derville ce mot désolant » : qui s'exprime à travers l'adjectif « désolant » ? Quel jugement est ainsi porté sur la lettre de l'intendant ?

14. Isolez le développement sur l'antichambre du Greffe. Quel temps verbal est utilisé ? Qui exprime ici son point de vue personnel sur ce lieu de misère ? Dans quelle intention, selon vous ?

15. Sachant que la première rencontre entre Derville et Chabert date de mars 1819, au bout de combien d'années l'avoué revoit-il Chabert au Tribunal ? Quel est l'intérêt de cette ellipse dans la narration (période passée sous silence dans un récit) ?

16. « Je ne suis plus un homme, je suis le numéro 164, septième salle » déclare Chabert : comment comprenez-vous cette phrase ?

Écriture

17. Expliquez la phrase « il vaut mieux avoir du luxe dans ses sentiments que sur ses habits » à la lumière de ce que vous savez du colonel Chabert.

18. Êtes-vous content du dénouement de ce bref roman ? Développez votre argumentation.

Pour aller plus loin

19. La dernière entrevue de Derville avec Chabert a lieu en 1840. En vous aidant des « Repères chronologiques » de votre Petit Classique, résumez les principaux événements politiques survenus entre 1819 et cette date.

✳ À retenir

Balzac interrompt très souvent la narration pour insérer, au présent de l'indicatif, une remarque personnelle. Tantôt il donne son avis sur un personnage, tantôt il commente l'action, tantôt il introduit une longue réflexion morale, sociologique ou philosophique à partir d'un fait particulier ou d'un lieu. Souvent, au fil du récit, un nom ou un adjectif trahissent son jugement ou son sentiment personnel (ex. : « il écrivit ce mot désolant »).

Clefs d'analyse

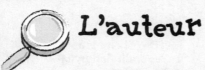

L'auteur

1. **Vrai ou faux ? Honoré de Balzac a écrit et vécu au :**
   a. XVIIIe siècle en France   ☐ vrai ☐ faux
   b. XVIIIe siècle en Russie   ☐ vrai ☐ faux
   c. XIXe siècle en France   ☐ vrai ☐ faux
   d. XIXe siècle en Russie   ☐ vrai ☐ faux
   e. XVIIe siècle en France   ☐ vrai ☐ faux

2. **Repérez et soulignez une inexactitude dans cette brève biographie de Balzac :**

   Honoré de Balzac a fait des études de droit, mais sa vocation d'écrivain étant plus forte que tout, il a décidé de se consacrer à la littérature pour devenir un auteur célèbre, riche et admiré de tous. Passionné par les questions de philosophie, il s'est aussi essayé au théâtre pour choisir finalement la forme du roman. Après avoir fait une faillite mémorable en tant qu'imprimeur, il est couvert de dettes et connaîtra toute sa vie des problèmes d'argent.

   Balzac a publié *Le Colonel Chabert* sous des titres différents : d'abord *La Comtesse à deux maris*, puis *La Transaction*, puis *Le Comte Chabert*, et enfin *Le Colonel Chabert* (1844).

3. **Répondez par « oui » ou par « non » : Balzac a vécu au même siècle que :**
   a. Victor Hugo   ☐ oui ☐ non
   b. Alexandre Dumas   ☐ oui ☐ non
   c. Alphonse de Lamartine   ☐ oui ☐ non
   d. Alfred de Musset   ☐ oui ☐ non
   e. Jean-Jacques Rousseau   ☐ oui ☐ non

4. **Vrai ou faux ?**
   a. Balzac est l'auteur de *La Comédie humaine*   ☐ vrai ☐ faux
   b. Balzac est l'auteur de *Madame Bovary*   ☐ vrai ☐ faux
   c. Balzac est l'auteur de *La Peau de chagrin*   ☐ vrai ☐ faux
   d. Balzac est l'auteur de *Eugénie Grandet*   ☐ vrai ☐ faux
   e. Balzac est l'auteur de *À la recherche du temps perdu*   ☐ vrai ☐ faux

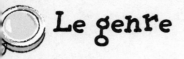

Le genre

1. **Vrai ou faux ?**
   a. *Le Colonel Chabert* est un roman historique   ☐ vrai ☐ faux
   b. *Le Colonel Chabert* est un roman réaliste   ☐ vrai ☐ faux
   c. *Le Colonel Chabert* est un roman
      autobiographique   ☐ vrai ☐ faux
   d. *Le Colonel Chabert* est un roman bref   ☐ vrai ☐ faux
   e. *Le Colonel Chabert* est un roman militaire   ☐ vrai ☐ faux

2. **À l'aide d'une flèche, associez *Le Colonel Chabert* avec ses registres dominants :**
   a. registre dramatique
   b. registre comique
   c. registre lyrique   *Le Colonel Chabert*
   d. registre tragique
   e. registre épique

3. **Barrez les inexactitudes :**
   Dans *Le Colonel Chabert*, les dialogues entre Derville et Chabert sont essentiellement des dialogues argumentatifs, par lesquels ces deux personnages décident d'une stratégie pour rétablir le colonel dans ses droits. Le récit comporte également de nombreuses descriptions réalistes, notamment celle de l'étude de Mᵉ Derville, celle de la masure de Louis Vergniaud où Chabert trouve refuge en attendant que ses affaires s'arrangent, celle de l'antichambre du Greffe où Derville rencontre Chabert par hasard. Balzac s'interdit d'intervenir dans la narration. Il adopte tout au long du récit un point de vue externe, sans jamais introduire de commentaire personnel sur les personnages, les lieux, l'action.

4. **Marquez d'une croix le point de vue dominant qu'adopte le narrateur dans *Le Colonel Chabert*.**
   ☐ Le point de vue interne (une scène est montrée à partir de la perception d'un personnage)
   ☐ Le point de vue omniscient (le narrateur sait tout des personnages, de leur histoire et de leurs pensées, de leurs émotions)
   ☐ Le point de vue externe (le narrateur reste extérieur au récit, il rapporte les événements avec neutralité)

Avez-vous bien lu ?

L'action

1. **Indiquez d'une croix la bataille où le colonel Chabert a été laissé pour mort.**
   a. ☐ Austerlitz
   b. ☐ Wagram
   c. ☐ Waterloo
   d. ☐ Eylau
   e. ☐ Friedland

2. **Chabert se présente à l'étude Derville en :**
   a. ☐ mai 1807
   b. ☐ mars 1819
   c. ☐ avril 1819
   d. ☐ mars 1840
   e. ☐ mai 1840

3. **La première scène de l'étude Derville se passe :**
   a. ☐ sous la Restauration
   b. ☐ sous le règne de Napoléon Ier
   c. ☐ pendant la Révolution française
   d. ☐ sous Louis-Philippe
   e. ☐ sous la IIe République

4. **Derville reçoit Chabert :**
   a. ☐ au milieu de la nuit
   b. ☐ au petit matin
   c. ☐ en revenant de l'Opéra
   d. ☐ avant d'aller à l'Opéra
   e. ☐ à l'heure du déjeuner

5. **Le colonel Chabert a perdu :**
   a. ☐ sa fortune
   b. ☐ sa femme
   c. ☐ son honneur
   d. ☐ sa maison
   e. ☐ sa Légion d'honneur

6. **Après avoir échappé à la mort, Chabert a séjourné à :**
   a. ☐ Francfort
   b. ☐ Heilsberg
   c. ☐ Stuttgart

d. ☐ Karlsruhe

e. ☐ Strasbourg

7. Le notaire de Derville versera à Chabert :

a. ☐ cinquante francs tous les dix jours

b. ☐ dix francs tous les cinquante jours

c. ☐ vingt francs tous les trente jours

d. ☐ quinze francs toutes les semaines

e. ☐ cent francs tous les mois.

8. La fortune de Chabert se réduit désormais à :

a. ☐ cent cinquante mille francs

b. ☐ deux cent mille francs

c. ☐ trois cent mille francs

d. ☐ quatre cent mille francs

e. ☐ cent mille francs

9. La comtesse emmène Chabert dans sa maison de campagne de :

a. ☐ Montmorency

b. ☐ Groslay

c. ☐ Ris

d. ☐ Bicêtre

e. ☐ Charenton

10. Le colonel Chabert renonce à ses droits :

a. ☐ parce qu'il ne veut pas faire de la peine à la comtesse Ferraud

b. ☐ parce qu'il est certain de perdre le procès qu'il engagerait contre elle

c. ☐ par dégoût de l'humanité

d. ☐ parce qu'il veut protéger les enfants de la comtesse

e. ☐ parce qu'il n'a pas les moyens financiers d'engager un procès

11. Chabert finit ses jours :

a. ☐ dans la vacherie de son ami Vergniaud

b. ☐ à Charenton, chez les fous

c. ☐ à Bicêtre chez les vieillards indigents

d. ☐ en Allemagne

e. ☐ à la Salpêtrière

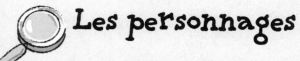
Les personnages

1. **Soulignez le nom des clercs de l'étude Derville :**

   Derville – Simonnin – Godeschal – Huré – Delbecq – Sparchmann – Boutin – Crottat – Boucard – Vergniaud – Desroches.

2. **Que faisait Rose Chapotel avant d'épouser le comte Chabert ? Indiquez d'une croix la bonne réponse :**
   a. ☐ prostituée
   b. ☐ modiste
   c. ☐ gouvernante
   d. ☐ garde-malade
   e. ☐ femme de chambre

3. **Qui est peint dans ces portraits ? Chabert ou Vergniaud ?**
   a. « Il avait la tête couverte d'une perruque appropriée à sa physionomie, il était habillé de drap bleu, avait du linge blanc, et portait sous son gilet le sautoir rouge des grands officiers de la Légion d'honneur » :

   ....

   b. « C'était un vieux homme vêtu d'une veste bleue, d'une cotte blanche plissée semblable à celle des brasseurs, et qui portait sur la tête une casquette de loutre » :

   ....

   c. « Son front, volontairement caché sous les cheveux de sa perruque lisse, lui donnait quelque chose de mystérieux. Ses yeux paraissaient couverts d'une taie transparente : vous eussiez dit de la nacre sale dont les reflets bleuâtres chatoyaient à la lueur des bougies » :

   ....

   d. « Vous n'avez donc pas vu ni ses bottes éculées qui prennent l'eau, ni sa cravate qui lui sert de chemise ? Il a couché sous les ponts » :

   ....

4. **Parmi ces signes distinctifs, soulignez ceux qui caractérisent :**
   a. **Le colonel Chabert :** le sens de l'honneur, la fidélité, la loyauté, le courage, la persévérance, la méchanceté, la ténacité, l'orgueil, l'ambition.
   b. **Derville :** la suspicion, la générosité, l'intelligence, l'orgueil, l'arrogance, la franchise, l'humanité, la passion du travail.
   c. **La comtesse :** la coquetterie, la tendresse, l'intérêt, la gentillesse, l'ambition, la délicatesse, la duplicité, l'égoïsme, l'innocence, la ruse.
   d. **Vergniaud :** le dévouement, l'hypocrisie, la simplicité, l'avarice, la bonté, la paresse, la vanité.

5. **À quel personnage attribuez-vous ces phrases : Derville ou Chabert ?**
   a. « Les femmes croient les gens quand ils farcissent leurs phrases du mot amour » :

   ....

   b. « Elle n'a pas de cœur » :

   ....

   c. « Soyez donc humain, généreux, philanthrope et avoué, vous vous faites enfoncer » :

   ....

   d. « Il vaut mieux avoir du luxe dans ses sentiments que sur ses habits » :

   ....

   d. « Toutes les horreurs que les romanciers croient inventer sont toujours au-dessous de la vérité » :

   ....

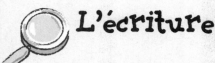

L'écriture

1. **Identifiez et cochez une phrase de registre dramatique :**
   a. ☐ « Au moment où nous revenions vers l'Empereur, après avoir dispersé les Russes, je rencontrai un gros de cavalerie ennemie. Je me précipitai sur ces entêtés-là. »
   b. ☐ « Elle sait que j'existe ; elle a reçu de moi, depuis mon retour, deux lettres écrites par moi-même. »
   c. ☐ « Avant son mariage, le comte Chabert avait fait un testament en faveur des hospices de Paris, par lequel il leur attribuait le quart de la fortune qu'il posséderait au moment de son décès. »
   d. ☐ « Nous poursuivrons à l'amiable un jugement pour annuler votre acte de décès et votre mariage, afin que vous repreniez vos droits. »

2. **Identifiez et cochez les phrases réalistes :**
   a. ☐ « Le cuir qui garnissait l'intérieur de son chapeau était sans doute fort gras, sa perruque y resta collée sans qu'il s'en aperçût, et laissa voir à nu son crâne horriblement mutilé par une cicatrice transversale. »
   b. ☐ « Mme la comtesse Ferraud se trouva par hasard avoir fait tout ensemble un mariage d'amour, de fortune et d'ambition. »
   c. ☐ « Enfin, en levant les mains, en tâtant les morts, je reconnus un vide entre ma tête et le fumier humain supérieur. »
   d. ☐ « Un chat était accroupi sur les pots à crème et les léchait. Les poules, effarouchées à l'approche de Derville, s'envolèrent en criant, et le chien de garde aboya. »
   e. ☐ « Le colonel avait connu la comtesse de l'Empire, il revoyait une comtesse de la Restauration. »

3. **Identifiez et cochez les phrases argumentatives :**
   a. ☐ « Croyez-vous que je veuille perdre une clientèle aussi précieuse que la vôtre ? »
   b. ☐ « Je ne suis plus qu'un pauvre diable nommé Hyacinthe, qui ne demande que sa place au soleil. Adieu... »

c. ☐ « Pour ne pas troubler le repos de M. le comte Ferraud, et ne pas altérer les liens de la famille, j'ai donc dû prendre des précautions contre un faux Chabert. N'avais-je pas raison, dites ? »

d. ☐ « Vous ne pouvez pas savoir jusqu'où va mon mépris pour cette vie extérieure à laquelle tiennent la plupart des hommes. »

e. ☐ « Il vaut mieux avoir du luxe dans ses sentiments que sur ses habits. »

4. Repérez et cochez les phrases contenant une métaphore ou une comparaison :

a. ☐ « La vérité s'était montrée dans sa nudité. »

b. ☐ « Ce fut comme une goutte de quelque poison subtil qui détermina chez le vieux soldat le retour de ses douleurs et physiques et morales. »

c. ☐ « Au nom d'Hyacinthe, Derville regarda le délinquant assis entre deux gendarmes sur le banc des prévenus, et reconnut, dans la personne du condamné, son faux colonel Chabert. »

d. ☐ « Dès ce moment, il fallait commencer avec cette femme la guerre odieuse dont lui avait parlé Derville, entrer dans une vie de procès, se nourrir de fiel, boire, chaque matin, un calice d'amertume. »

La narration

1. **Repérez et soulignez, dans le récit, une remarque personnelle du narrateur :**

   « Les paroles du jeune avoué furent donc comme un miracle pour cet homme rebuté pendant dix années par sa femme, par la justice, par la création sociale entière. Trouver chez un avoué ces dix pièces d'or qui lui avaient été refusées pendant si longtemps, par tant de personnes et de tant de manières ! Le colonel ressemblait à cette dame qui, ayant eu la fièvre durant quinze années, crut avoir changé de maladie le jour où elle fut guérie. Il est des félicités auxquelles on ne croit plus ; elles arrivent, c'est la foudre, elles consument. Aussi la reconnaissance du pauvre homme était-elle trop vive pour qu'il pût l'exprimer. »

2. **Isolez et soulignez, dans cette description, un commentaire du narrateur :**

   « La porte était ouverte et restait sans doute ainsi pendant toute la journée. Au fond d'une cour assez spacieuse, s'élevait, en face de la porte, une maison, si toutefois ce nom convient à l'une de ces masures bâties dans les faubourgs de Paris, et qui ne sont comparables à rien, pas même aux plus chétives habitations de la campagne, dont elles ont la misère sans en avoir la poésie. En effet, au milieu des champs, les cabanes ont encore une grâce que leur donnent la pureté de l'air, la verdure, l'aspect des champs, une colline, un chemin tortueux, des vignes, une haie vive, la mousse des chaumes, et les ustensiles champêtres ; mais à Paris la misère ne se grandit que par son horreur. Quoique récemment construite, cette maison semblait près de tomber en ruine. »

3. **Soulignez l'adjectif à travers lequel s'exprime la compassion du narrateur pour le colonel Chabert :**

   a. « De grosses larmes tombèrent des yeux flétris du pauvre soldat et roulèrent sur ses joues ridées. »

   b. « Le pauvre homme rentra timidement en baissant les yeux, peut-être pour ne pas révéler sa faim en regardant avec trop d'avidité les comestibles. »

c. « En apercevant le dédale de difficultés où il fallait s'engager, en voyant combien il fallait d'argent pour y voyager, le pauvre soldat reçut un coup mortel dans cette puissance particulière à l'homme et que l'on nomme la volonté. »

d. « La comtesse lui lança un regard empreint d'une telle reconnaissance, que le pauvre Chabert aurait voulu rentrer dans sa fosse d'Eylau. »

4. **Marquez d'une croix les phrases où apparait une ellipse temporelle :**

a. ☐ « Environ trois mois après cette consultation nuitamment faite par le colonel Chabert chez Derville, le notaire chargé de payer la demi-solde que l'avoué faisait à son singulier client vint le voir pour conférer sur une affaire grave. »

b. ☐ « Au moment où Derville achevait sa phrase, il vit sur son bureau les paquets que son Maître clerc y avait mis. »

c. ☐ « Vers une heure du matin, le prétendu colonel Chabert vint frapper à la porte de Me Derville, avoué près le tribunal de première instance du département de la Seine. »

d. ☐ « Six mois après cet événement, Derville, qui n'entendait plus parler ni du colonel Chabert ni de la comtesse Ferraud, pensa qu'il était survenu sans doute entre eux une transaction, que, par vengeance, la comtesse avait fait dresser dans une autre étude. »

e. ☐ « Quelque temps après la réception de cette lettre, Derville cherchait au Palais un avocat auquel il voulait parler, et qui plaidait à la Police correctionnelle. »

POUR
APPROFONDIR

Thèmes et prolongements

✤ Le colonel Chabert :
une figure balzacienne

Le colonel Chabert, mort vivant rendu à la vie parisienne après des années d'absence, est une des figures les plus singulières de *La Comédie humaine*. Tout, chez lui, nourrit le drame : sa vie brisée, sa passion conjugale bafouée, son combat juridique avorté. Fil conducteur de l'action, ce personnage pathétique traverse le roman en solitaire, au gré de ses apparitions et de ses absences, tout en occupant, du début à la fin, l'espace de la narration.

Un vieux grognard en disgrâce

Enfant trouvé, Chabert est un homme simple qui s'est accompli dans la guerre. C'est à l'Empereur – « le patron » comme il l'appelle – qu'il doit à la fois ses plus glorieux exploits et son ascension sociale. Promu colonel et fait comte d'Empire, Chabert, qui a « aidé Napoléon à conquérir l'Égypte et l'Europe », incarne le soldat dans le sens le plus noble du terme. Dévouement, fidélité, vaillance : tels sont les traits distinctifs du héros de la bataille d'Eylau. Ce personnage se distingue aussi par son exceptionnelle résistance physique : « foulé aux pieds par les chevaux de deux régiments », il est encore vivant ; jeté dans la fosse aux soldats morts, il arrive à s'extraire du « fumier humain » et à « percer la couverture de chair » qui l'accable. En toute occasion, le soldat perce sous l'homme privé : son vocabulaire est emprunté au lexique de la guerre (à Derville : « vous êtes *un brave* »), il parle « avec la naïveté d'un enfant ou d'un soldat », il réagit « avec cette résignation grave et solennelle qui caractérise les hommes éprouvés dans le sang et le feu des champs de bataille », il accueille Derville « avec un flegme militaire »... Mais dans la société de la Restauration où les salons ont remplacé les champs de bataille, « le vieux grognard » n'a plus sa place.

Un mari bafoué

Après des années d'errance en Allemagne, Chabert, qui passait « pour le plus joli des muscadins, en 1799 », a perdu sa belle apparence : « j'avais une face de *requiem*, j'étais vêtu comme un sans-culotte, je ressemblais plutôt à un Esquimau qu'à un Français ». Il est vieux ; il a perdu ses cheveux, ses dents, ses sourcils ; il a l'allure d'un mendiant. Tel est l'homme dégradé qui écrit, en vain, « une lettre bien détaillée » (la quatrième...) à Mme la comtesse Chabert. En vain. Rentré à Paris en juillet 1815, il apprend que son hôtel a été vendu et démoli, que sa femme, désormais remariée au comte Ferraud, est mère de deux enfants et qu'elle a hérité de sa fortune. Jolie femme qui a fait « tout ensemble un mariage d'amour, de fortune et d'ambition », l'ancienne prostituée Rose Chapotel, ex-Mme Chabert, ne veut plus de son vieux mari. Elle ignore ses appels à l'aide, le traite d'« intrigant » et de « fou » jusqu'à ce que, à Groslay, il tombe dans le piège de tendresse qu'elle lui a tendu avec toute la coquetterie dont elle est capable. Conquis par la « constante douceur » de cette charmeuse, bouleversé par le tableau de famille qu'elle lui met sous les yeux, le colonel s'apprête à « rentrer sous terre ». Pourtant, quand il découvre le complot ourdi contre lui, c'est finalement par dégoût de la vie qu'il renoncera à ses droits pour disparaître dans l'anonymat.

Un plaignant démoralisé

Le colonel Chabert mène le combat de sa vie pour retrouver son nom, sa femme et sa fortune. Face à lui se dresse non pas une armée ennemie, mais un monde hostile attaché à sa perte : « J'ai été enterré sous des morts, mais maintenant je suis enterré sous des vivants, sous des actes, sous des faits, sous la société tout entière qui veut me faire rentrer sous terre ! » Assisté de Derville, il va pourtant engager une procédure destinée à prouver « judiciairement » qu'il est le comte Chabert. Mais, hors du champ de bataille, l'héroïque soldat est un homme faible et plein de doute : « le monde social et judiciaire lui pesait sur la poitrine comme un cauchemar ». Physiquement méconnaissable, sans argent, face à deux « adversaires » implacables – les époux Ferraud –, aux prises avec des administrations qui « voudraient pouvoir anéantir les gens de l'Empire », Chabert sera aussi le bourreau de lui-même : l'ennemi aura facilement raison d'un plaignant anéanti d'avance à l'idée de plaider.

Pour approfondir

✤ Le monde de la « chicane »

À travers l'affaire Chabert, Balzac met en scène la justice avec une grande finesse : tribunaux, hommes de loi et plaignants forment la matière dramatique d'un roman où domine le champ lexical du droit. Si elle révèle les valeurs de la société de la Restauration, la peinture du monde de la chicane engage aussi le lecteur à une réflexion morale à la fois sur la nature et sur les méthodes de la justice.

Les lieux de justice

C'est par une description magistrale de l'étude de Me Derville que Balzac fait connaître au lecteur le local dans lequel se joue le destin des plaignants. La saleté d'abord étonne : « sur le marbre de la cheminée se voyaient divers morceaux de pain, des triangles de fromage de Brie, des côtelettes de porc frais, des verres, des bouteilles, et la tasse de chocolat du Maître clerc ». Les vitres sont malpropres, le mobilier « crasseux » disparaît sous une poussière grasse. La « puanteur du poêle » se mêle aux relents de la nourriture et à l'odeur caractéristique des vieux papiers. En résumé, l'étude « obscure » s'affiche comme « une des plus hideuses monstruosités de Paris ». À la fin du roman, Balzac laissera à un Derville sans illusion le soin de définir ce lieu de justice qu'est une étude d'avoué : « nos études sont des égouts qu'on ne peut pas curer ».

En écho à cette première évocation, l'antichambre du Greffe du Palais de Justice où Derville, par hasard, rencontre Chabert six mois après sa disparition, est dépeinte avec un réalisme qui révèle la misère sordide de la justice : « laboratoire de la chicane » aux « murailles jaunâtres », « terrible égout » où se déverse la misère humaine, l'antichambre est une « pièce obscure et puante » où trois gendarmes de faction font les cent pas. Ici encore, même noirceur dans la description, même vision sinistre de la justice à travers les lieux où elle se déploie.

Les hommes de loi

Qui sont les agents de cette justice ? D'abord les clercs, tels que Balzac les met en scène au tout début du roman. À travers leurs dialogues très naturels, ces jeunes gens à la fois gratte-papier et messagers s'affichent comme des exécutants joyeux et impertinents :

dans l'étude, on mange, on discute, et on travaille si on a le temps... Le plus jeune d'entre eux, Simonnin, saute-ruisseau, « sans pitié, sans frein, indisciplinable, faiseur de couplets, goguenard, avide et paresseux », donne le ton. À l'opposé, Me Derville, l'avoué, se pose en vrai professionnel : cet expert qui traite ses dossiers importants la nuit se révèle, dans l'affaire Chabert, extrêmement habile. Avec des arguments bien ciblés, il engage un Chabert irrésolu à lutter pour défendre ses droits (« Tout se plaide », dit-il) ; avec un sens politique remarquable, il arrête une stratégie fondée sur une transaction avec l'adversaire ; enfin, il met la comtesse au pied du mur : « le comte Chabert existe ». Intelligent, généreux, cet homme d'honneur est lucide sur le monde de la chicane : l'homme de loi, le prêtre et le médecin sont habillés de noir « peut-être parce qu'ils portent le deuil de toutes les vertus, de toutes les illusions », remarque-t-il dans le dénouement, avant d'annoncer à son confrère Godeschal que « Paris [lui] fait horreur » et qu'il part vivre à la campagne.

Plaignants et procès

Le plaignant est celui qui porte plainte en justice pour défendre ses droits, qu'il estime bafoués. À charge pour lui d'apporter des preuves capables de faire triompher sa cause. Dans le roman, Chabert se présente comme un plaignant atypique : d'abord parce qu'il ne comprend pas la nécessité de porter sa cause en justice tant elle lui paraît légitime. Ensuite, les difficultés d'une procédure le découragent d'emblée : son affaire est « excessivement compliquée », comme l'explique Derville ; ses adversaires sont redoutables et les tribunaux corruptibles : « vous aurez contre vous votre femme et son mari, deux personnes puissantes qui pourront influencer les tribunaux » ; en outre, il n'a pas de moyens financiers. Mais finalement, c'est à sa volonté défaillante (« il lui parut impossible de vivre en plaidant »), à sa crédulité face au stratagème de la comtesse, puis à sa désillusion qu'il devra son échec.

Par contraste avec le colonel Chabert, le plaignant-type affiche une détermination sans faille, la cupidité ou l'ambition l'emportant chez lui sur toute considération morale. Les litiges masquent alors des actions coupables qui défient le droit familial et social. Dans ces causes, le mensonge, la calomnie, l'intrigue servent les intérêts particuliers du plaignant au détriment de la vérité, jetant sur les tribunaux un voile de suspicion qui fait douter de la justice. La conclusion de Derville est à cet égard sans appel : « J'ai vu des crimes contre lesquels la justice est impuissante. »

❖ Le style de Balzac

Le Colonel Chabert présente les principaux traits d'écriture qui font le style de Balzac. On trouve, dans ce bref roman, le choix du point de vue omniscient caractéristique de l'auteur, de même qu'on relève, au fil du récit, d'innombrables ruptures qui ouvrent au narrateur un espace d'expression personnelle. Enfin, les dialogues et les descriptions soigneusement imbriqués les uns dans les autres occupent des scènes majeures : c'est dire leur importance dramatique !

Le point de vue omniscient

Le narrateur sait tout de ses personnages : non seulement il donne sur eux des éléments biographiques, mais, au cours de l'action, il s'attache à dévoiler leurs émotions et leurs idées, révèle au lecteur leur vision du monde, tout en les faisant parler et agir. Par ce choix narratif, Balzac montre que Chabert, Derville, la comtesse et les autres acteurs du roman sont ses créatures et que, sortis de son imagination, ils sont façonnés de corps et d'esprit selon ses vœux. Le lecteur accède ainsi à leurs pensées les plus intimes (« L'avoué songea qu'il y aurait peu de délicatesse à demander compte à son client des sommes qu'il lui avait avancées »), il est instruit sur leur santé (Chabert : « ses souffrances physiques et morales lui avaient déjà vicié le corps dans quelques-uns des organes les plus importants »). Dans certains cas, le point de vue omniscient produit un effet d'annonce, par exemple quand Balzac évoque subtilement l'idée qui germe chez la comtesse lors de son tête-à-tête avec Derville : « Un éclair d'espérance brilla dans ses yeux ; elle comptait peut-être spéculer sur la tendresse de son premier mari pour gagner son procès par quelque ruse de femme. » Dans d'autres cas, il permet à l'auteur d'expliquer la conduite d'un personnage : « elle voulait l'intéresser à sa situation, et l'attendrir assez pour s'emparer de son esprit et disposer souverainement de lui » (stratégie de la comtesse pour faire céder Chabert).

Les interventions du narrateur

À tout moment, la voix de Balzac émerge dans le récit, avec des intentions diverses. Tantôt un simple adjectif traduit la compassion de l'auteur pour son héros nommé « le pauvre homme », le « pauvre soldat », « le pauvre colonel » ; tantôt une idée personnelle accompagne les paroles d'un personnage : « nous oublierons tout, ajouta-t-il avec un de ces sourires dont la grâce est toujours le reflet d'une belle âme ». Souvent, une longue réflexion philosophique ou morale inspirée par la conduite d'un personnage interrompt le récit : « La seule épigramme permise à la Misère est d'obliger la Justice et la Bienfaisance à des dénis injustes. Quand les malheureux ont convaincu la Société de mensonge, ils se rejettent plus vivement dans le sein de Dieu. » Dans d'autres occasions, le narrateur interprète un fait, un geste, une attitude, un ton : « Expliquez, monsieur ! dit la comtesse au colonel d'un son de voix qui révélait une de ces émotions rares dans la vie, et par lesquelles tout en nous est agité. En ces moments, cœur, fibres, nerfs, physionomie, âme et corps, tout, chaque pore même tressaille. » Enfin, c'est parfois l'écrivain qui se révèle entre les lignes par une remarque sur son propre style (« tous trois le regardèrent avec une stupidité spirituelle, s'il est permis d'allier ces deux mots ») ou par un avertissement sur la composition du récit (« un coup d'œil jeté sur la situation de M. le comte Ferraud et de sa femme est ici nécessaire pour faire comprendre le génie de l'avoué »).

Dialogues et descriptions

Dans les principales scènes du roman, dialogues et descriptions s'emboîtent avec naturel, comme deux formes de discours complémentaires destinées à traduire la nature profonde des personnages, et l'esprit des lieux. Toujours, Balzac reprend le même schéma. Ainsi le dialogue des clercs suivi du dialogue entre Chabert et Derville dans la première partie du roman s'enrichit à la fois d'une description réaliste de l'étude et de plusieurs portraits (Simonnin, Chabert), pour produire un effet de réel. De même, le portrait de Hyacinte brossé à partir du point de vue de Derville préface la description de l'antichambre du Greffe, ces deux tableaux de la misère servant de miroir au dialogue qui suit, où Chabert confesse à l'avoué sa défaite, son renoncement et son dégoût de l'humanité.

Pour approfondir

✤ Un roman réaliste

Dans *Le Colonel Chabert*, Balzac peint décors et personnages avec l'obsession du détail vrai. De l'étude de Me Derville à l'hospice de la Vieillesse de Bicêtre, le regard de l'auteur est implacable : le quotidien s'affiche sans mystère, la déchéance et la mort s'étalent brutalement, la lutte pour la vie s'expose dans ses procédés les plus féroces. Comme dans l'ensemble de *La Comédie humaine*, Balzac obéit à un objectif clair : « amasser tant de faits et les peindre comme ils sont ».

Le quotidien sans fard

Les scènes du quotidien sont évoquées sous une forme concrète qui ne laisse guère de place à l'imagination. Le décor, soigneusement photographié, plonge le lecteur dans les bureaux, les maisons, les tribunaux et les asiles de l'époque. Rien n'est laissé au hasard. Architecture, mobilier, appareils de chauffage, vaisselle, éclairages, odeurs, comestibles sont représentés comme des faire-valoir de l'action. À travers les scènes-clés (la première rencontre Chabert-Derville, la visite de l'avoué chez Vergniaud, Chabert à Groslay, les retrouvailles de Derville et du colonel au Tribunal puis à l'asile de Bicêtre), Balzac livre un reportage sur Paris et la campagne, deux mondes où cohabitent violemment luxe et pauvreté. Il brosse aussi des portraits francs qui révèlent un incroyable sens de l'observation et une volonté de faire exister les personnages dans toute la complexité de leur nature physique (« ses yeux paraissaient couverts d'une taie transparente : vous eussiez dit de la nacre sale ») et morale. Il les habille (Chabert : « un homme en vieux carrick, en perruque de chiendent et en bottes percées »), les fait bouger et parler avec naturel, en s'arrêtant sur leurs gestes les plus révélateurs (« la comtesse rougit, pâlit, se cacha la figure dans les mains »). Attentif au langage, il prête à chacun les paroles qui reflètent son appartenance sociale, son caractère, son métier : vocabulaire juridique et discours argumentatif pour Derville, lexique militaire pour Chabert, plaisanteries infantiles et cruelles des clercs.

La déchéance et la mort

Le réalisme de Balzac se déploie dans sa mise en scène de toutes les misères physiques et morales qui accablent les faibles, à commencer par le colonel Chabert. La chute de l'ancien grognard grand officier de la Légion d'honneur est présentée à travers un faisceau de signes, tous convergents : la volonté faiblit, le corps s'affaisse, les paroles s'affolent. L'« homme foudroyé » est un « vieillard », son crâne est « horriblement mutilé par une cicatrice transversale ». Comme son logeur Vergniaud, le « vieux maréchal des logis devenu nourrisseur », il vit dans une masure et couche sur la paille. Au Tribunal, il apparaît aux yeux de Derville médusé comme un « délinquant assis entre deux gendarmes », puis en 1840, il se présente comme un homme désincarné : « le numéro 164, septième salle ». Aucun lyrisme dans la peinture de cette détresse, mais un réalisme si appuyé qu'il en devient argumentatif, laissant paraître chez l'auteur la pitié que lui inspire son héros, le sentiment d'horreur qu'éveillent en lui l'antichambre du Greffe du Tribunal, et les « deux mille malheureux » logés à l'hospice de la Vieillesse. Quant à la mort, elle est présentée dans toute son horreur par la voix de Chabert : « vrai silence du tombeau », cadavres amoncelés, deux morts qui se sont croisés au-dessus de lui et ce « bras qui ne tenait à rien... un bon os auquel je dus mon salut... ». Voilà des détails réalistes qui marqueront à jamais la mémoire du lecteur.

Les luttes individuelles et sociales

Le Colonel Chabert met en scène des personnages en lutte. Lutte pour la vie d'abord, comme en témoigne l'effort désespéré du colonel Chabert pour sortir de sa fosse (« avec une rage que vous devez concevoir, je me mis à travailler les cadavres qui me séparaient de la couche de terre sans toute jetée sur nous »). Lutte pour survivre ensuite : il faudra au héros de la bataille d'Eylau des années d'errance pour reprendre pied. Et finalement, lutte pour retrouver une existence sociale : l'honnête et scrupuleux Chabert sur ce point échouera. Face à lui, la comtesse Ferraud joue le tout pour le tout pour s'élever dans la hiérarchie sociale. Réglée par ses ambitions, elle calcule, marchande, ment, cajole et trahit. Telle est la méthode gagnante de Rose Chapotel, ancienne prostituée devenue en 1840 « une femme d'esprit et très agréable ; mais un peu trop dévote ». Dans la mêlée, le talentueux Derville travaille la nuit pour payer sa charge, asseoir sa réputation et se faire une place au soleil.

Textes et images

✤ Misère et déchéance

Sous toutes ses formes la déchéance révèle des drames humains qui n'ont pas pu être surmontés. Dégradation physique, détresse morale, alcoolisme, exclusion sociale : ces formes extrêmes du malheur sont décrites avec un réalisme jamais atteint par les romanciers du XIXe siècle, avec l'idée, parfois, d'éveiller les consciences et de changer la société.

Documents :

❶ Extrait des *Misérables*, de Victor Hugo (1862)

❷ Extrait de *Germinie Lacerteux*, d'Edmond et Jules de Goncourt (1864)

❸ Extrait de *L'Assommoir*, d'Émile Zola (1876)

❹ Extrait de *Une vie*, de Guy de Maupassant (1883)

❺ *Groupe de mendiants*, tableau de Giacomo Ceruti (1698-1767)

❻ *Cosette*, gravure de Gustave Brion (1824-1877)

❼ *Le Froid à Paris*, gravure parue dans *Le Petit Journal* (1902)

❶ *Seule au monde et sans travail, Fantine doit se procurer de l'argent pour payer la pension de sa petite fille Cosette confiée au couple Thénardier à Montfermeil.*

Le lendemain matin, comme Marguerite entrait dans la chambre de Fantine avant le jour, car elles travaillaient toujours ensemble et de cette façon n'allumaient qu'une chandelle pour deux, elle trouva Fantine assise sur son lit, pâle, glacée. Elle ne s'était pas couchée. Son bonnet était tombé sur ses genoux. La chandelle avait brûlé toute la nuit et était presque entièrement consumée.

Marguerite s'arrêta sur le seuil, pétrifiée de cet énorme désordre, et s'écria :

— Seigneur ! la chandelle qui est toute brûlée ! il s'est passé des événements !

Puis elle regarda Fantine qui tournait vers elle sa tête sans cheveux[1].

Fantine, depuis la veille, avait vieilli de dix ans.

— Jésus ! fit Marguerite, qu'est-ce que vous avez, Fantine ?

— Je n'ai rien, répondit Fantine. Au contraire. Mon enfant ne mourra pas de cette affreuse maladie, faute de secours. Je suis contente.

En parlant ainsi, elle montrait à la vieille fille deux napoléons[2] qui brillaient sur la table.

— Ah, Jésus Dieu ! dit Marguerite. Mais c'est fortune ! Où avez-vous eu ces louis d'or ?

— Je les ai eus, répondit Fantine.

En même temps, elle sourit. La chandelle éclairait son visage. C'était un sourire sanglant. Une salive rougeâtre lui souillait le coin des lèvres, et elle avait un trou noir dans la bouche.

Les deux dents étaient arrachées.

Elle envoya les quarante francs à Montfermeil.

Du reste, c'était une ruse des Thénardier pour avoir de l'argent, Cosette n'était pas malade.

Fantine jeta son miroir par la fenêtre. Depuis longtemps elle avait quitté sa cellule du second pour une mansarde fermée par un loquet sous le toit ; un de ces galetas[3] dont le plafond fait angle avec le plancher et vous heurte chaque instant la tête. La pauvre ne peut aller au fond de sa chambre comme au fond de sa destinée qu'en se courbant de plus en plus. Elle n'avait plus de lit, il lui restait une loque qu'elle appelait sa couverture, un matelas à terre et une chaise dépaillée. Un petit rosier qu'elle avait s'était desséché dans un coin, oublié. Dans l'autre coin, il y avait un pot à beurre à mettre l'eau, qui gelait l'hiver, et où les différents niveaux de l'eau restaient longtemps marqués par des cercles de glace. Elle avait perdu la honte, elle perdit la coquetterie. Dernier signe. Elle sortait avec des bonnets sales. Soit faute de temps, soit indifférence, elle ne raccommodait plus son linge. À mesure que ses talons s'usaient, elle tirait ses bas dans ses souliers. Cela se voyait à certains plis

1. **Sa tête sans cheveux :** Fantine a vendu sa belle chevelure.
2. **Napoléons :** pièces d'or.
3. **Galetas :** taudis.

perpendiculaires. Elle rapiéçait son corset, vieux et usé, avec des morceaux de calicot[1] qui se déchiraient au moindre mouvement. Les gens auxquels elle devait, lui faisaient « des scènes », et ne lui laissaient aucun repos. Elle les trouvait dans la rue, elle les retrouvait dans son escalier. Elle passait des nuits à pleurer et à songer. Elle avait les yeux très brillants et elle sentait une douleur fixe dans l'épaule, vers le haut de l'omoplate gauche. Elle toussait beaucoup. Elle haïssait profondément le père Madeleine, et ne se plaignait pas. Elle cousait dix-sept heures par jour ; mais un entrepreneur du travail des prisons, qui faisait travailler les prisonnières au rabais, fit tout à coup baisser les prix, ce qui réduisit la journée des ouvrières libres à neuf sous. Dix-sept heures de travail, et neuf sous par jour ! Ses créanciers étaient plus impitoyables que jamais. Le fripier, qui avait repris presque tous les meubles, lui disait sans cesse : « Quand me payeras-tu coquine ? » Que voulait-on d'elle bon Dieu ! Elle se sentait traquée et il se développait en elle quelque chose de la bête farouche. Vers le même temps, le Thénardier lui écrivit que décidément il avait attendu avec beaucoup trop de bonté, et qu'il lui fallait cent francs, tout de suite ; sinon qu'il mettrait à la porte la petite Cosette, toute convalescente de sa grande maladie, par le froid, par les chemins, et qu'elle deviendrait ce qu'elle pourrait, et qu'elle crèverait, si elle voulait.

— Cent francs ! songea Fantine. Mais où y a-t-il un état[2] à gagner cent sous par jour ?

— Allons ! dit-elle, vendons le reste.

L'infortunée se fit fille publique.

❷ *Délaissée par l'homme qu'elle aime, en deuil de son enfant, Germinie Lacerteux, servante de Mlle de Varandeuil, s'abandonne à l'alcool et au désespoir sans rien confier de sa détresse à sa maîtresse.*

Ce fut alors que les abaissements, les dégradations de Germinie commencèrent à paraître dans toute sa personne, à l'hébéter, à la salir. Une sorte de sommeil gagna ses idées. Elle ne fut plus vive ni prompte à penser. Ce qu'elle avait lu, ce qu'elle avait appris parut s'échapper d'elle. Sa mémoire, qui retenait tout, devint confuse

---

1. **Calicot :** toile de coton très ordinaire.
2. **État :** métier, profession.

et oublieuse. L'esprit de la bonne de Paris s'en alla peu à peu de sa conversation, de ses réponses, de son rire. Sa physionomie, tout à l'heure[1] si éveillée, n'eut plus d'éclairs. Dans toute sa personne on aurait cru voir revenir la paysanne bête qu'elle était en arrivant du pays, lorsqu'elle allait demander du pain d'épice chez un papetier. Elle n'avait plus l'air de comprendre. Mademoiselle lui voyait faire, à ce qu'elle disait, une figure d'idiote. Elle était obligée de lui expliquer, de lui répéter deux ou trois fois ce que jusque-là Germinie avait saisi à demi-mot. Elle se demandait, en la voyant ainsi, lente et endormie, si on ne lui avait pas changé sa bonne. Mais tu deviens donc une bête d'imbécile ! lui disait-elle parfois impatientée. Elle se souvenait du temps où Germinie lui était si utile pour retrouver une date, mettre une adresse sur une carte, dire le jour où on avait rentré le bois ou entamé la pièce de vin, toutes choses qui échappaient à sa vieille tête. Germinie ne se rappelait plus rien. Le soir, quand elle comptait avec mademoiselle, elle ne pouvait retrouver ce qu'elle avait acheté le matin ; elle disait : « Attendez !... » et après un geste vague, rien ne lui revenait. Mademoiselle, pour ménager ses yeux fatigués, avait pris l'habitude de se faire lire par elle le journal : Germinie arriva à tellement ânonner, à lire avec si peu d'intelligence, que mademoiselle fut obligée de la remercier.

Son intelligence allant ainsi en s'affaissant, son corps aussi s'abandonnait et se délaissait. Elle renonçait à la toilette, à la propreté même. Dans son incurie[2], elle ne gardait rien des soins de la femme ; elle ne s'habillait plus. Elle portait des robes tachées de graisse et déchirées sous les bras, des tabliers en loques, des bas troués dans des savates avachies. Elle laissait la cuisine, la fumée, le charbon, le cirage, la souiller et s'essuyer après elle comme après un torchon. Autrefois, elle avait eu la coquetterie et le luxe des femmes pauvres, l'amour du linge. Personne dans la maison n'avait de bonnets plus frais. Ses petits cols, tout unis et tout simples, étaient toujours de ce blanc qui éclaire si joliment la peau et fait toute la personne nette. Maintenant, elle avait des bonnets fatigués, fripés, avec lesquels elle semblait avoir dormi. Elle se passait de man-

---

1. **Tout à l'heure :** autrefois.
2. **Incurie :** négligence.

chettes, son col laissait voir contre la peau de son cou un liseré de crasse, et on la sentait plus sale encore en dessous qu'en dessus. Une odeur de misère, croupie et rance, se levait d'elle. Quelquefois, c'était si fort que Mlle de Varandeuil ne pouvait s'empêcher de lui dire : « Va donc te changer, ma fille... tu sens le pauvre... »

Dans la rue, elle n'avait plus l'air d'appartenir à quelqu'un de propre. Elle ne semblait plus la domestique d'une personne honnête. Elle perdait l'aspect d'une servante qui, se soignant et se respectant dans sa mise même, porte sur elle le reflet de sa maison et l'orgueil de ses maîtres. De jour en jour elle devenait cette créature abjecte et débraillée dont la robe glisse au ruisseau, — une souillon.

Se négligeant, elle négligeait tout autour d'elle. Elle ne rangeait plus, elle ne nettoyait plus, elle ne lavait plus. Elle laissait le désordre et la saleté entrer dans l'appartement, envahir l'intérieur de mademoiselle, ce petit intérieur dont la propreté faisait autrefois mademoiselle si contente et si fière. La poussière s'amassait, les araignées filaient derrière les cadres, les glaces se voilaient, les marbres des cheminées, l'acajou des meubles se ternissaient ; les papillons s'envolaient des tapis qui n'étaient plus secoués, les vers se mettaient où ne passaient plus la brosse ni le balai ; l'oubli poudroyait partout sur les choses sommeillantes et abandonnées que réveillait et ranimait autrefois le coup de main de chaque matin. Une dizaine de fois, mademoiselle avait tenté de piquer là-dessus l'amour-propre de Germinie ; mais alors, tout un jour, c'était un nettoyage si forcené et accompagné de tels accès d'humeur, que mademoiselle se promettait de ne plus recommencer. Un jour pourtant elle s'enhardit à écrire le nom de Germinie avec le doigt sur la poussière de sa glace ; Germinie fut huit jours sans le lui pardonner. Mademoiselle en vint à se résigner. À peine si elle laissait échapper bien doucement, quand elle voyait sa bonne dans un moment de bonne humeur : « Avoue, ma fille, que la poussière est bien heureuse chez nous ! »

À l'étonnement, aux observations des amies qui venaient encore la voir et que Germinie était forcée de laisser entrer, mademoiselle répondait avec un accent de miséricorde et d'apitoiement : « Oui, c'est sale, je sais bien ! Mais que voulez-vous ? Germinie est malade, et j'aime mieux qu'elle ne se tue pas. » Parfois, quand Germinie était sortie, elle se hasardait à donner avec ses mains goutteuses[1] un coup de serviette sur la commode, un coup de plumeau sur un cadre. Elle se dépêchait, craignant d'être grondée, d'avoir une scène, si sa bonne rentrait et la voyait.

Germinie ne travaillait presque plus ; elle servait à peine. Elle avait réduit le dîner et le déjeuner de sa maîtresse aux mets les plus simples, les plus courts et les plus faciles à cuisiner. Elle faisait son lit sans relever les matelas, à l'anglaise. La domestique qu'elle avait été ne se retrouvait et ne revivait plus en elle qu'aux jours où mademoiselle donnait un petit dîner dont le nombre de couverts était toujours assez grand par la bande d'enfants conviés. Ces jours-là, Germinie sortait, comme par enchantement, de sa paresse, de son apathie, et, puisant des forces dans une sorte de fièvre, elle retrouvait, devant le feu de ses fourneaux et les rallonges de la table, toute son activité passée. Et mademoiselle était stupéfaite de la voir, suffisant à tout, seule et ne voulant pas d'aide, faire en quelques heures un dîner pour une dizaine de personnes, le servir, le desservir avec les mains et toute la vive adresse de sa jeunesse.

❸ *À la suite d'un grave accident, Coupeau a dû abandonner son travail. Il est devenu alcoolique... Gervaise, sa femme, et Nana, sa fille, ne peuvent empêcher sa chute.*

Avec ça, il oubliait d'embellir ; un revenant à regarder ! Le poison le travaillait rudement. Son corps imbibé d'alcool se ratatinait comme les fœtus qui sont dans des bocaux, chez les pharmaciens. Quand il se mettait devant une fenêtre, on apercevait le jour au travers de ses côtes, tant il était maigre. Les joues creuses, les yeux dégoûtants, pleurant assez de cire pour fournir une cathédrale, il ne gardait que sa truffe[2] de fleurie, belle et rouge, pareille à un œillet au milieu de sa trogne dévastée. Ceux qui savaient son âge, quarante ans sonnés, avaient un petit frisson, lorsqu'il passait, courbé, vacillant, vieux comme les rues. Et le tremblement de ses mains redoublait, sa main droite surtout battait tellement la breloque que,

---

1. **Goutteuses :** atteintes de la goutte, maladie qui rend les articulations très douloureuses.
2. **Truffe :** gros nez bourgeonné.

Pour approfondir

certains jours, il devait prendre son verre dans ses deux poings, pour le porter à ses lèvres.

Oh ! ce nom de Dieu de tremblement ! c'était la seule chose qui le taquinât encore, au milieu de sa vacherie générale ! On l'entendait grogner des injures féroces contre ses mains. D'autres fois, on le voyait pendant des heures en contemplation devant ses mains qui dansaient, les regardant sauter comme des grenouilles, sans rien dire, ne se fâchant plus, ayant l'air de chercher quelle mécanique intérieure pouvait leur faire faire joujou de la sorte ; et un soir, Gervaise l'avait trouvé ainsi, avec deux grosses larmes qui coulaient sur ses joues cuites de pochard.

Le dernier été, pendant lequel Nana traîna chez ses parents les restes de ses nuits, fut surtout mauvais pour Coupeau. Sa voix changea complètement, comme si le fil-en-quatre[1] avait mis une musique nouvelle dans sa gorge. Il devint sourd d'une oreille. Puis, en quelques jours, sa vue baissa ; il lui fallait tenir la rampe de l'escalier, s'il ne voulait pas dégringoler. Quant à sa santé, elle se reposait, comme on dit. Il avait des maux de tête abominables, des étourdissements qui lui faisaient voir trente-six chandelles. Tout d'un coup, des douleurs aiguës le prenaient dans les bras et dans les jambes ; il pâlissait, il était obligé de s'asseoir, et restait sur une chaise hébété pendant des heures ; même, après une de ces crises, il avait gardé son bras paralysé tout un jour. Plusieurs fois, il s'alita ; il se pelotonnait, se cachait sous le drap, avec le souffle fort et continu d'un animal qui souffre. Alors, les extravagances de Sainte-Anne[2] recommençaient. Méfiant, inquiet, tourmenté d'une fièvre ardente, il se roulait dans des rages folles, déchirait ses blouses, mordait les meubles, de sa mâchoire convulsée ; ou bien il tombait à un grand attendrissement, lâchant des plaintes de fille, sanglotant et se lamentant de n'être aimé par personne. Un soir, Gervaise et Nana, qui rentraient ensemble, ne le trouvèrent plus dans son lit. À sa place, il avait couché le traversin. Et, quand elles le découvrirent, caché entre le lit et le mur, il claquait des dents, il racontait que

1. **Fil-en-quatre :** eau-de-vie, alcool très fort.
2. **Sainte-Anne :** hôpital parisien, où sont enfermés les fous.

des hommes allaient venir l'assassiner. Les deux femmes durent le recoucher et le rassurer comme un enfant.

Coupeau ne connaissait qu'un remède, se coller sa chopine de cric[1], un coup de bâton dans l'estomac, qui le mettait debout. Tous les matins, il guérissait ainsi sa pituite[2]. La mémoire avait filé depuis longtemps, son crâne était vide ; et il ne se trouvait pas plus tôt sur les pieds, qu'il blaguait la maladie. Il n'avait jamais été malade. Oui, il en était à ce point où l'on crève en disant qu'on se porte bien. D'ailleurs, il déménageait[3] aussi pour le reste. Quand Nana rentrait, après des six semaines de promenade, il semblait croire qu'elle revenait d'une commission dans le quartier. Souvent, accrochée au bras d'un monsieur, elle le rencontrait et rigolait, sans qu'il la reconnût. Enfin, il ne comptait plus, elle se serait assise sur lui, si elle n'avait pas trouvé de chaise.

4 Alors elle ne sortit plus, elle ne remua plus. Elle se levait chaque matin à la même heure, regardait le temps par sa fenêtre, puis descendait s'asseoir devant le feu dans la salle.

Elle restait là des jours entiers, immobile, les yeux plantés sur la flamme, laissant aller à l'aventure ses lamentables pensées et suivant le triste défilé de ses misères. Les ténèbres, peu à peu, envahissaient la petite pièce sans qu'elle eût fait d'autre mouvement que pour remettre du bois au feu. Rosalie alors apportait la lampe et s'écriait :

— Allons, madame Jeanne, il faut vous secouer ou bien vous n'aurez pas encore faim ce soir.

Elle était souvent poursuivie d'idées fixes qui l'obsédaient et torturée par des préoccupations insignifiantes, les moindres choses, dans sa tête malade, prenant une importance extrême.

Elle revivait surtout dans le passé, dans le vieux passé, hantée par les premiers temps de sa vie et par son voyage de noces, là-bas en Corse. Des paysages de cette île, oubliés depuis longtemps, surgissaient soudain devant elle dans les tisons de sa cheminée ; et elle se

Pour approfondir

---

1. **Cric :** eau-de-vie grossière et de basse qualité.
2. **Pituite :** sécrétion visqueuse produite par les muqueuses du nez ou des bronches, fréquente chez les alcooliques.
3. **Il déménageait :** il perdait la tête.

rappelait tous les détails, tous les petits faits, toutes les figures rencontrées là-bas ; la tête du guide Jean Ravoli la poursuivait ; et elle croyait parfois entendre sa voix.

Puis elle songeait aux douces années de l'enfance de Paul, alors qu'il lui faisait repiquer des salades, et qu'elle s'agenouillait dans la terre grasse à côté de tante Lison, rivalisant de soins toutes les deux pour plaire à l'enfant, luttant à celle qui ferait reprendre les jeunes plantes avec le plus d'adresse et obtiendrait le plus d'élèves.

Et, tout bas, ses lèvres murmuraient : « Poulet, mon petit Poulet », comme si elle lui eût parlé ; et, sa rêverie s'arrêtant sur ce mot, elle essayait parfois pendant des heures d'écrire dans le vide, de son doigt tendu, les lettres qui le composaient. Elle les traçait lentement, devant le feu, s'imaginant les voir, puis, croyant s'être trompée, elle recommençait le P d'un bras tremblant de fatigue, s'efforçant de dessiner le nom jusqu'au bout ; puis, quand elle avait fini, elle recommençait.

À la fin elle ne pouvait plus, mêlait tout, modelait d'autres mots, s'énervant jusqu'à la folie.

Toutes les manies des solitaires la possédaient. La moindre chose changée de place l'irritait.

Rosalie souvent la forçait à marcher, l'emmenait sur la route ; mais Jeanne, au bout de vingt minutes, déclarait : « Je n'en puis plus, ma fille », et elle s'asseyait au bord du fossé.

Bientôt tout mouvement lui fut odieux, et elle restait au lit le plus tard possible.

Depuis son enfance, une seule habitude lui était demeurée invariablement tenace, celle de se lever tout d'un coup aussitôt après avoir bu son café au lait. Elle tenait d'ailleurs à ce mélange d'une façon exagérée ; et la privation lui en aurait été plus sensible que celle de n'importe quoi. Elle attendait, chaque matin, l'arrivée de Rosalie avec une impatience un peu sensuelle ; et, dès que la tasse pleine était posée sur la table de nuit, elle se mettait sur son séant et la vidait vivement d'une manière un peu goulue. Puis, rejetant ses draps, elle commençait à se vêtir.

Mais, peu à peu, elle s'habitua à rêvasser quelques secondes après avoir reposé le bol dans son assiette, puis elle s'étendit de nouveau dans le lit ; puis elle prolongea, de jour en jour, cette paresse jusqu'au moment où Rosalie revenait, furieuse, et l'habillait presque de force.

Elle n'avait plus, d'ailleurs, une apparence de volonté et, chaque fois que sa servante lui demandait un conseil, lui posait une question, s'informait de son avis, elle répondait :

— Fais comme tu voudras, ma fille.

Elle se croyait si directement poursuivie par une malchance obstinée contre elle qu'elle devenait fataliste comme un Oriental ; et l'habitude de voir s'évanouir ses rêves et s'écrouler ses espoirs faisait qu'elle n'osait plus rien entreprendre, et qu'elle hésitait des journées entières avant d'accomplir la chose la plus simple, persuadée qu'elle s'engageait toujours dans la mauvaise voie et que cela tournerait mal.

Elle répétait à tout moment :

— C'est moi qui n'ai pas eu de chance dans la vie.

Alors Rosalie s'écriait :

— Qu'est-ce que vous diriez donc s'il vous fallait travailler pour avoir du pain, si vous étiez obligée de vous lever tous les jours à six heures du matin pour aller en journée ! Il y en a bien qui sont obligées de faire ça, pourtant, et, quand elles deviennent trop vieilles, elles meurent de misère.

Jeanne répondait :

— Songe donc que je suis toute seule, que mon fils m'a abandonnée.

Et Rosalie alors se fâchait furieusement :

— En voilà une affaire ! Eh bien ! et les enfants qui sont au service militaire ! et ceux qui vont s'établir en Amérique !

L'Amérique représentait pour elle un pays vague, où l'on va faire fortune et dont on ne revient jamais.

Elle continuait :

— Il y a toujours un moment où il faut se séparer, parce que les vieux et les jeunes ne sont pas faits pour rester ensemble.

Et elle concluait d'un ton féroce :

— Eh bien, qu'est-ce que vous diriez s'il était mort ?

Et Jeanne, alors, ne répondait plus rien.

Pour approfondir

⑤

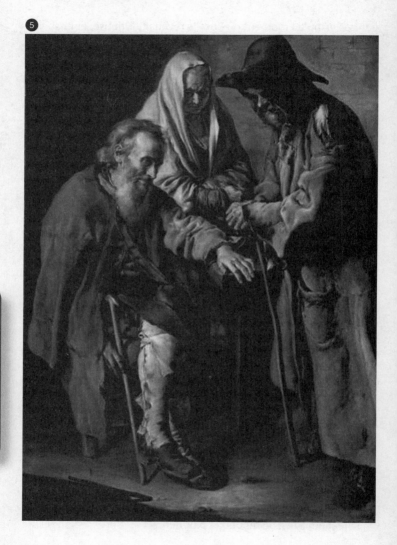

Pour approfondir

6

143

7

LE FROID A PARIS
Braseros sur la voie publique

✤ Étude des textes

Savoir lire

1. Qui sont les personnages tombés dans la déchéance ? Quel malheur n'arrivent-ils pas à surmonter ? Pourquoi leur volonté reste-t-elle sans effet sur leur détresse ?

2. Quelle forme prend leur déchéance ? Chez qui le malheur affecte-t-il à la fois l'intelligence, l'état physique, la santé, l'environnement matériel et familial ?

3. Quelles émotions le réalisme de la description éveille-t-il dans l'évocation de Fantine ? Dans celle de Coupeau ?

4. Fantine se fait fille publique. A-t-elle le choix ? Exposez votre point de vue en vous appuyant à la fois sur les dialogues et sur la narration.

Savoir faire

5. Lequel de ces personnages vous semble le plus à plaindre ? Expliquez vos raisons en vous fondant sur des éléments précis du récit.

6. Fantine écrit une lettre aux Thénardier pour leur exposer ses difficultés et leur demander de patienter. Rédigez cette lettre en multipliant les arguments destinés à la fois à convaincre et à attendrir les destinataires.

7. À l'aide d'Internet ou d'un dictionnaire, trouvez le résumé des œuvres présentées dans ce corpus de textes. Puis précisez dans quelles conditions les personnages tombés dans la déchéance (Fantine, Germinie, Coupeau et Jeanne) finissent leur vie.

✤ Étude des images

Savoir analyser

1. D'après le document 6, dans quelles conditions vit Cosette, la fille de Fantine confiée aux Thénardier ? Observez les vêtements de l'enfant, son regard, l'activité à laquelle elle se consacre.

Pour approfondir

Textes et images

2. À travers quels détails réalistes la pauvreté s'affiche-t-elle dans le document 5 ?
3. Par quelle organisation de l'image le feu, présenté dans le document 7, met-il en évidence la misère du groupe humain ?

Savoir faire

4. Un policier observe la scène du brasero (document 7). Imaginez ses pensées dans un monologue intérieur où s'exprimeront sa pitié, son indignation et son incompréhension.
5. « C'est moi qui n'ai pas eu de chance dans la vie » (document 4) : à quel personnage présenté dans ces trois images attribueriez-vous cette phrase ? Expliquez votre choix.
6. Dans quel décor extérieur ou intérieur pourrait s'inscrire le groupe de mendiants mis en scène dans le document 5 ?

Pour approfondir

❖ Napoléon : vérité et légende

Personnage historique, figure glorieuse de conquérant, Napoléon nourrit chez ses partisans un rêve de grandeur qui baigne les générations nées sous son règne. Ses discours enflammés révèlent un orateur hors pair, tandis que sa correspondance dévoile les liens singuliers de la politique et de la vie privée. Nombreux sont les poètes et les romanciers du XIXe siècle influencés par cette personnalité hors du commun.

Documents :

❶ *Proclamation à l'armée d'Italie*, de Napoléon Bonaparte (26 avril 1796)

❷ *Lettres* à l'impératrice Joséphine, de Napoléon Ier (1807-1808)

❸ *Manuscrit venu de Sainte-Hélène d'une manière inconnue*, attribué à Lullin de Châteauvieux (1817)

❹ *Le Cimetière d'Eylau* in *La Légende des siècles*, de Victor Hugo (1874)

❺ *Bataille d'Eylau, sanglante et opiniâtre*, gravure (1807)

❻ *Napoléon reçoit au Palais royal de Berlin*, tableau de René Berthon (1776-1859)

❼ *Le Champ de bataille de la Moskova*, lithographie d'Eberhard Emminger (1808-1885)

Pour approfondir

❶

Quartier général, Cherasco, 7 floréal an IV

Soldats, vous avez en quinze jours remporté six victoires, pris vingt et un drapeaux, cinquante-cinq pièces de canon, plusieurs places fortes, conquis la partie la plus riche du Piémont ; vous avez fait dix-sept mille prisonniers, tué ou blessé plus de dix mille hommes.

Vous vous étiez jusqu'ici battus pour des rochers stériles, illustrés par votre courage, mais inutiles à la patrie ; vous égalez aujourd'hui, par vos services, l'armée de Hollande et du Rhin.

Dénués de tout, vous avez suppléé à tout. Vous avez gagné des batailles sans canons, passé des rivières sans ponts, fait des marches forcées sans souliers, bivouaqué sans eau-de-vie, souvent sans pain. Les phalanges[1] républicaines, les soldats de la liberté étaient seuls capables de souffrir ce que vous avez souffert. Grâces vous en soient rendues, soldats !

La patrie reconnaissante vous devra sa prospérité ; et si vainqueurs de Toulon, vous présageâtes l'immortelle campagne de 1794, vos victoires actuelles en présagent une plus belle encore.

Les deux armées qui, naguère, vous attaquaient avec audace, fuient épouvantées devant vous : les hommes pervers qui riaient de votre misère et se réjouissaient dans leur pensée des triomphes de vos ennemis sont confondus et tremblants.

Mais, soldats, vous n'avez rien fait puisqu'il vous reste encore à faire. Ni Turin ni Milan ne sont à vous ; les cendres des vainqueurs de Tarquin sont encore foulées par les assassins de Basseville.

Vous étiez dénués de tout au commencement de la campagne ; vous êtes aujourd'hui abondamment pourvus : les magasins[2] pris à vos ennemis sont nombreux ; l'artillerie de siège et de campagne est arrivée. Soldats, la patrie a droit d'attendre de vous de grandes choses ; justifierez-vous son attente ? Les plus grands obstacles sont franchis, sans doute ; mais vous avez encore des combats à livrer, des villes à prendre, des rivières à passer. En est-il entre vous dont le courage s'amollisse ? En est-il qui préféreraient retourner sur les sommets de l'Apennin et des Alpes, essuyer patiemment les injures de cette soldatesque esclave ? Non, il n'en est point parmi les vainqueurs de Montenotte, de Dego et de Mondovi. Tous brûlent de porter au loin la gloire du peuple français ; tous veulent humilier les rois orgueilleux qui osaient méditer de nous donner des fers ; tous veulent dicter une paix glorieuse et qui indemnise la patrie des sacrifices immenses qu'elle a faits ; tous veulent, en rentrant dans leurs villages, pouvoir dire avec fierté : « J'étais de l'armée conquérante de l'Italie ! »

Pour approfondir

---

1. **Phalanges :** armées, troupes (de fantassins).
2. **Magasins :** dépôts contenant des munitions de guerre et des provisions.

Ainsi, je vous la promets cette conquête ; mais il est une condition que vous jurez de remplir : c'est de respecter les peuples que vous délivrez, c'est de réprimer les pillages horribles auxquels se portent des scélérats suscités par vos ennemis. Sans cela, vous ne seriez pas les libérateurs des peuples, vous en seriez les fléaux ; vous ne seriez pas l'honneur du peuple français, il vous désavouerait. Vos victoires, votre courage, vos succès, le sang de vos frères morts au combat, tout serait perdu, même l'honneur et la gloire. Quant à moi et aux généraux qui ont votre confiance, nous rougirions de commander à une armée sans discipline, sans frein, qui ne connaîtrait de loi que la force. Mais, investi de l'autorité nationale, fort de la justice et par la loi, je saurai faire respecter à ce petit nombre d'hommes sans courage et sans cœur les lois de l'humanité et de l'honneur qu'ils foulent aux pieds. Je ne souffrirai pas que ces brigands souillent vos lauriers ; je ferai exécuter à la rigueur le règlement que j'ai fait mettre à l'ordre. Les pillards seront impitoyablement fusillés ; déjà, plusieurs l'ont été : j'ai eu lieu de remarquer avec plaisir l'empressement avec lequel les bons soldats de l'armée se sont portés pour faire exécuter les ordres.

Peuples de l'Italie, l'armée française vient pour rompre vos chaînes ; le peuple français est l'ami de tous les peuples ; venez avec confiance au-devant d'elle ; vos propriétés, votre religion et vos usages seront respectés.

Nous faisons la guerre en ennemis généreux et nous n'en voulons qu'aux tyrans qui vous asservissent.

❷

Eylau, le 14 février 1807

Mon amie, je suis toujours à Eylau. Ce pays est couvert de morts et de blessés. Ce n'est pas la plus belle partie de la guerre ; l'on souffre, et l'âme est oppressée de voir tant de victimes. Je me porte bien. J'ai fait ce que je voulais, et j'ai repoussé l'ennemi, en faisant échouer ses projets. Tu dois être inquiète, et cette pensée m'afflige. Toutefois, tranquillise-toi, mon amie, et sois gaie.

Tout à toi.

Pour approfondir

Liebstadt, le 20 février 1807, à 2 heures du matin

Je t'écris deux mots, mon amie, pour que tu ne sois pas inquiète. Ma santé est fort bonne, et mes affaires vont bien. J'ai remis mon armée en cantonnement. La saison est bizarre ; il gèle et il dégèle ; elle est humide et inconstante.

Adieu, mon amie.

Tout à toi.

Friedland, le 15 juin 1807

Mon amie, je ne t'écris qu'un mot, car je suis bien fatigué ; voilà bien des jours que je bivouaque. Mes enfants ont dignement célébré l'anniversaire de la bataille de Marengo.

La bataille de Friedland sera aussi célèbre et est aussi glorieuse pour mon peuple. Toute l'armée russe mise en déroute, 80 pièces de canon, 30 000 hommes pris ou tués ; 25 généraux russes tués, blessés ou pris ; la garde russe écrasée : c'est une digne sœur de Marengo, Austerlitz, Iéna. Le Bulletin te dira le reste. Ma perte n'est pas considérable ; j'ai manœuvré l'ennemi avec succès. Sois sans inquiétude et contente.

Adieu, mon amie ; je monte à cheval. L'on peut donner cette nouvelle comme une notice, si elle est arrivée avant le Bulletin. On peut aussi tirer le canon. Cambacérès fera la notice.

Tilsit, le 25 juin

Mon amie, je viens de voir l'empereur Alexandre[1] ; j'ai été fort content de lui ; c'est un fort beau, bon et jeune empereur ; il a de l'esprit plus que l'on ne pense communément. Il vient loger en ville à Tilsit demain.

Adieu, mon amie ; je désire fort que tu te portes bien, et sois contente. Ma santé est fort bonne.

Tilsit, le 6 juillet

J'ai reçu ta lettre du 25 juin. J'ai vu avec peine que tu étais égoïste, et que les succès de mes armes seraient pour toi sans attraits. La belle reine de Prusse doit venir dîner avec moi aujourd'hui. Je me

---

1. **L'empereur Alexandre :** le tsar de Russie.

porte bien, et désire beaucoup te revoir, quand le destin l'aura marqué. Cependant, il est possible que cela ne tarde pas.

Adieu, mon amie ; milles choses aimables.

Tilsit, le 7 juillet

Mon amie, la reine de Prusse a dîné hier avec moi. J'ai eu à me défendre de ce qu'elle voulait m'obliger à faire encore quelques concessions à son mari ; mais j'ai été galant, et me suis tenu à ma politique. Elle est fort aimable. J'irai te donner des détails qu'il me serait impossible de te donner sans être bien long. Quand tu liras cette lettre, la paix avec la Prusse et la Russie sera conclue, et Jérôme reconnu roi de Westphalie, avec trois millions de population. Ces nouvelles sont pour toi seule.

Adieu, mon amie ; je t'aime et veux te savoir contente et gaie.

Dresde, le 18 juillet 1807, à midi

Mon amie, je suis arrivé hier à cinq heures du soir à Dresde, fort bien portant, quoique je sois resté cent heures en voiture, sans sortir. Je suis ici chez le roi de Saxe, dont je suis fort content. Je suis donc rapproché de toi de plus de moitié du chemin. Il se peut qu'une de ces belles nuits, je tombe à Saint-Cloud comme un jaloux ; je t'en préviens.

Adieu, mon amie ; j'aurai grand plaisir à te revoir.

Tout à toi.

Erfurt, octobre 1808

Mon amie, je t'écris peu ; je suis fort occupé. Des conversations de journées entières, cela n'arrange pas mon rhume. Cependant tout va bien. Je suis content d'Alexandre ; il doit l'être de moi : s'il était femme, je crois que j'en ferais mon amoureuse. Je serai chez toi dans peu ; porte-toi bien, et que je te trouve grasse et fraîche.

Adieu, mon amie.

Pour approfondir

Textes et images

❸ *Paru sans nom d'auteur, ce récit autobiographique a été attribué à Napoléon. Si le texte en fut annoté par l'empereur déchu à Sainte-Hélène, on pense désormais que l'ouvrage fut rédigé par Lullin de Châteauvieux, un ami des écrivains Benjamin Constant et M*me* de Staël.*

Je n'écris pas des commentaires, car les événements de notre règne sont assez connus, et je ne suis pas obligé d'alimenter la curiosité publique : je donne le précis de ces événements, parce que mon caractère et mes intentions peuvent être étrangement défigurés ; et je tiens à paraître tel que j'ai été aux yeux de mon fils comme à ceux de la postérité.

C'est le but de cet écrit. Je suis forcé d'employer une voie détournée pour le faire paraître, car s'il tombait dans les mains des ministres anglais, je sais par expérience qu'il resterait dans leur bureau.

Ma vie a été si étonnante, que les admirateurs de mon pouvoir ont pensé que mon enfance même avait été extraordinaire. Ils se sont trompés. Mes premières années n'ont rien eu de singulier. Je n'étais qu'un enfant obstiné et curieux. Ma première éducation a été pitoyable comme tout ce qu'on faisait en Corse. J'ai appris assez facilement le français, par les militaires de la garnison, avec lesquels je passais mon temps.

Je réussissais dans ce que j'entreprenais, parce que je le voulais : mes volontés étaient fortes et mon caractère décidé. Je n'hésitais jamais : ce qui m'a donné de l'avantage sur tout le monde. La Volonté dépend, au reste, de la trempe de l'individu : il n'appartient pas à chacun d'être maître chez lui.

Mon esprit me portait à détester les illusions. J'ai toujours discerné la vérité de plein saut : c'est pourquoi j'ai toujours vu mieux que d'autres le fond des choses. Le monde a toujours été pour moi dans le fait et non dans le droit : aussi n'ai-je ressemblé à peu près à personne ; j'ai été, par ma nature, toujours isolé.

Je n'ai jamais compris quel serait le parti que je pourrais tirer de quelques-unes de mes études, et, dans le fait, elles ne m'ont servi qu'à m'apprendre des méthodes. Je n'ai retiré quelque fruit que des mathématiques : le reste ne m'a été utile à rien ; mais j'étudiais par amour-propre.

Mes facultés intellectuelles prenaient cependant leur essor sans que je m'en mêlasse ; elles ne consistaient que dans une grande mobilité des fibres de mon cerveau. Je pensais plus vite que les autres ; en sorte qu'il m'est toujours resté du temps pour réfléchir : c'est en cela qu'a consisté ma profondeur.

Ma tête était trop active pour m'amuser avec les divertissements ordinaires de la jeunesse. Je n'y étais pas totalement étranger ; mais je cherchais ailleurs de quoi m'intéresser. Cette disposition me plaçait dans une espèce de solitude où je ne trouvais que mes propres pensées. Cette manière d'être m'a été habituelle dans toutes les situations de ma vie.

Je me plaisais à résoudre des problèmes : je les cherchai dans les mathématiques ; mais l'ordre matériel ne m'en fournissant point assez, je les cherchai alors dans l'ordre moral : c'est le travail qui m'a le mieux réussi. Cette recherche est devenue chez moi une disposition habituelle : je lui ai dû les grands pas que j'ai fait faire à la politique et à la guerre.

Ma naissance me destinait au service : c'est pourquoi j'ai été placé dans les écoles militaires. J'obtins une lieutenance quelques années avant la Révolution : je n'ai jamais reçu de titre avec autant de plaisir que celui-là. Le comble de mon ambition se bornait, alors, à porter un jour une épaulette à bouillons sur chacune de mes épaules : un colonel d'artillerie me paraissait le nec plus ultra de la grandeur humaine.

J'étais trop jeune dans ce temps pour mettre de l'intérêt à la politique. Je ne jugeais pas encore de l'homme en masse. Aussi je n'étais ni surpris ni effrayé du désordre qui régnait à cette époque, parce que je n'avais pu la comparer avec aucune autre. Je m'accommodais de ce que je trouvais.

Je n'étais pas encore difficile.

On m'employa dans l'armée des Alpes : cette armée ne faisait rien de ce que doit faire une armée ; elle ne connaissait ni la discipline ni la guerre. J'étais à mauvaise école. Il est vrai que nous n'avions pas d'ennemis bien dangereux à combattre ; nous n'étions d'abord chargés que d'empêcher les Piémontais de passer les Alpes, et rien n'était si facile.

Pour approfondir

153

L'anarchie régnait dans nos cantonnements : le soldat n'avait aucun respect pour l'officier ; l'officier n'en avait guère pour le général : ceux-ci étaient tous les matins destitués par les représentants du peuple ; l'armée n'accordait qu'à ces derniers l'idée du pouvoir, la plus forte sur l'esprit humain. J'ai senti dès lors le danger de l'influence civile sur le militaire, et j'ai su m'en garantir.

Ce n'était pas le talent, mais la loquacité[1] qui donnait du crédit dans l'armée : tout y dépendait de cette faveur populaire qu'on obtient par des vociférations. Je n'ai jamais eu avec la multitude cette communauté de sentiments qui produit l'éloquence des rues. Je n'ai jamais eu le talent d'émouvoir le peuple. Aussi je ne jouais aucun rôle dans cette armée. J'en avais mieux le temps de réfléchir. J'étudiais la guerre, non sur le papier, mais sur le terrain [...].

4 *Dans ce poème, Victor Hugo donne la parole à son oncle Louis-Joseph qui s'est engagé à quinze ans, en 1792, dans l'armée. L'ancien capitaine des grenadiers du 55ᵉ de ligne à la bataille d'Eylau raconte son expérience.*

> Une blême lueur, dans le brouillard éparse,
> Éclairait vaguement le cimetière. Au loin
> Rien de distinct, sinon que l'on avait besoin
> De nous pour recevoir sur nos têtes les bombes.
> L'empereur nous avait mis là, parmi ces tombes ;
> Mais, seuls, criblés d'obus et rendant coups pour coups,
> Nous ne devinions pas ce qu'il faisait de nous.
> Nous étions, au milieu de ce combat, la cible.
> Tenir bon, et durer le plus longtemps possible,
>
> Tâcher de n'être morts qu'à six heures du soir,
> En attendant, tuer, c'était notre devoir.
> Nous tirions au hasard, noirs de poudre, farouches ;
> Ne prenant que le temps de mordre les cartouches,
> Nos soldats combattaient et tombaient sans parler.
> — Sergent, dis-je, voit-on l'ennemi reculer ?
> — Non. — Que voyez-vous ? — Rien. — Ni moi. — C'est le déluge,

---

1. **Loquacité :** habitude de parler beaucoup.

Mais en feu. — Voyez-vous nos gens ? — Non. Si j'en juge
Par le nombre de coups qu'à présent nous tirons,
Nous sommes bien quarante. — Un grognard à chevrons
Qui tiraillait pas loin de moi dit : — On est trente.
Tout était neige et nuit ; la bise pénétrante
Soufflait, et, grelottants, nous regardions pleuvoir
Un gouffre de points blancs dans un abîme noir.
La bataille pourtant semblait devenir pire.
C'est qu'un royaume était mangé par un empire !
On devinait derrière un voile un choc affreux ;
On eût dit des lions se dévorant entr'eux ;
C'était comme un combat des géants de la fable ;
On entendait le bruit des décharges, semblable
À des écroulements énormes ; les faubourgs
De la ville d'Eylau prenaient feu ; les tambours
Redoublaient leur musique horrible, et sous la nue
Six cents canons faisaient la basse continue ;
On se massacrait ; rien ne semblait décidé ;
La France jouait là son plus grand coup de dé ;
Le bon Dieu de là-haut était-il pour ou contre ?
Quelle ombre ! et je tirais de temps en temps ma montre.
Par intervalle un cri troublait ce champ muet,
Et l'on voyait un corps gisant qui remuait.
Nous étions fusillés l'un après l'autre, un râle
Immense remplissait cette ombre sépulcrale.
Les rois ont les soldats comme vous vos jouets.
Je levais mon épée, et je la secouais
Au-dessus de ma tête, et je criais : Courage !
J'étais sourd et j'étais ivre, tant avec rage
Les coups de foudre étaient par d'autres coups suivis ;
Soudain mon bras pendit, mon bras droit, et je vis
Mon épée à mes pieds, qui m'était échappée ;
J'avais un bras cassé ; je ramassai l'épée
Avec l'autre, et la pris dans ma main gauche : — Amis !
Se faire aussi casser le bras gauche est permis !
Criai-je, et je me mis à rire, chose utile,
Car le soldat n'est point content qu'on le mutile,

Et voir le chef un peu blessé ne déplaît point.
Mais quelle heure était-il ? Je n'avais plus qu'un poing,
Et j'en avais besoin pour lever mon épée ;
Mon autre main battait mon flanc, de sang trempée,
Et je ne pouvais plus tirer ma montre. Enfin
Mon tambour s'arrêta : — Drôle, as-tu peur ? — J'ai faim,
Me répondit l'enfant. En ce moment la plaine
Eut comme une secousse, et fut brusquement pleine
D'un cri qui jusqu'au ciel sinistre s'éleva.
Je me sentais faiblir ; tout un homme s'en va
Par une plaie ; un bras cassé, cela ruisselle ;
Causer avec quelqu'un soutient quand on chancelle ;
Mon sergent me parla ; je dis au hasard : Oui,
Car je ne voulais pas tomber évanoui.
Soudain le feu cessa, la nuit sembla moins noire.
Et l'on criait : Victoire ! et je criai : Victoire !
J'aperçus des clartés qui s'approchaient de nous.
Sanglant, sur une main et sur les deux genoux
Je me traînai ; je dis : — Voyons où nous en sommes.
J'ajoutai : — Debout, tous ! Et je comptai mes hommes.
— Présent ! dit le sergent. — Présent ! dit le gamin.
Je vis mon colonel venir, l'épée en main.
— Par qui donc la bataille a-t-elle été gagnée ?
— Par vous, dit-il. — La neige était de sang baignée.
Il reprit : — C'est bien vous, Hugo ? c'est votre voix ?
— Oui. — Combien de vivants êtes-vous ici ? — Trois.

7

✤ Étude des textes

Savoir lire

1. Qui s'exprime dans ces textes ? À qui sont destinés ces documents ? Appuyez-vous sur des détails de l'expression.

2. Quels arguments Napoléon développe-t-il pour souligner l'héroïsme des soldats de l'armée d'Italie (document 1) ? Pour encourager son armée à vaincre encore dans le futur ? Quel rôle jouent les chiffres très précis accumulés dans le discours ?

3. Quelles informations politiques et privées Napoléon donne-t-il dans ses lettres à Joséphine (document 2) ? Quels sentiments personnels exprime-t-il ? À votre avis, pourquoi ces messages sont-ils aussi brefs ?

4. Quels traits de caractère l'enfance de Napoléon met-elle en évidence (document 3) ?

Pour approfondir

5. Relevez, dans le poème de Victor Hugo, quelques expressions de registre épique et expliquez l'effet produit dans l'évocation de la bataille d'Eylau.

Savoir faire

6. Situez l'île de Sainte-Hélène où Napoléon a terminé sa vie.
7. Présentez brièvement le *Mémorial de Sainte-Hélène*, ouvrage écrit par le comte de Las Cases, secrétaire particulier de Napoléon à Sainte-Hélène.
8. Rédigez les réponses de Joséphine aux courriers que lui envoie Napoléon.

❖ Étude des images

Savoir analyser

1. Comment l'organisation de l'image, les attitudes et le décor mettent-ils en évidence le pouvoir de l'empereur Napoléon (document 6) ?
2. Relevez les éléments qui donnent au document 7 sa puissance dramatique.
3. Comment les lignes verticales mettent-elles en évidence l'ordre de la bataille et la puissance des troupes dans le document 5 ? Où se trouve l'Empereur ? Que signifie son geste de la main droite ?

Savoir faire

4. Associez à l'une des trois images du corpus ces vers de Victor Hugo : « Par intervalle un cri troublait ce champ muet, / Et l'on voyait un corps gisant qui remuait. »
5. Rédigez, au présent, un portrait de Napoléon en vous appuyant sur le document 6. Vous ferez ressortir, à partir de votre observation, la nature profonde du personnage (« mes volontés étaient fortes et mon caractère décidé »).
6. En vous aidant d'Internet, trouvez un tableau représentant le couronnement de l'Empereur et dites quelles pensées cette scène vous inspire.

Pour approfondir

Vers le brevet

Sujet 1 : *Le Colonel Chabert*. De : « Lorsque je revins à moi » (p. 42, l. 79) jusqu'à : « mais à travers la neige, monsieur ! » (p. 43, l. 117)

Questions

I. Un mort vivant

1. « Le monde de cadavres au milieu duquel je gisais » :
   a. Nommez la figure de style utilisée dans cette phrase.
   b. Expliquez sa signification.
   c. De quelle manière ce choix d'expression enrichit-il l'idée évoquée ?

2. « Sans ce secours inespéré, je périssais ! » :
   a. Transformez cette phrase simple en une phrase complexe pourvue d'une proposition subordonnée hypothétique.
   b. Que signifie le verbe « périr » ? À quel niveau de langage appartient-il aujourd'hui ? Donnez deux adjectifs de la même famille
   c. Justifiez l'emploi du point d'exclamation.

3. « Je dis nous, comme **s'il y eût eu** des vivants » :
   a. Identifiez le temps et le mode du verbe en gras.
   b. Quelle forme utiliserait-on aujourd'hui ? Que peut-on en déduire sur la langue employée dans ce récit ?

II. Un récit dramatique

1. « En vous entretenant jusqu'à demain » :
   a. Donnez le sens du verbe dans cette phrase.
   b. À quel niveau de langage appartient-il ?
   c. Trouvez le nom qui appartient à la même famille.
   d. Utilisez le verbe et le nom dans deux phrases reflétant ce niveau de langage.

2. « Quoique la mémoire de ces mouvements soit bien ténébreuse, quoique mes souvenirs soient bien confus » :

   a. Précisez la nature de ces deux propositions.

   b. Expliquez la valeur du présent de l'indicatif. À quel moment renvoie-t-il ?

3. « Avec une rage que vous devez concevoir » :

   a. Qui est désigné par le pronom « vous » ? Trouvez dans la suite du récit quelques autres références à ce destinataire.

   b. Conjuguez le verbe « concevoir » au présent et au passé composé de l'indicatif. Quelle est la difficulté de ces formes ?

4. « Lorsque je revins à moi, monsieur [...], je ne vis rien » :

   a. Transformez ce passage au présent de narration.

   b. Expliquez l'effet dramatique lié à ce changement de temps.

III. Une évocation réaliste

1. « Fumier humain » :

   a. Que suggère cette expression ? Pensez à l'odeur, à la consistance, à la couleur...

   b. Pourquoi peut-on parler ici de « réalisme » ?

2. « En tâtant les morts [...]. En furetant avec promptitude... » :

   a. Donnez le sens exact des deux verbes.

   b. Justifiez ici leur emploi en vous référant à l'idée exprimée.

   c. En quoi sont-ils réalistes ?

   d. Quelle réaction ces deux expressions éveillent-elles chez le lecteur ?

3. « Un bras qui ne tenait à rien » : remplacez la proposition relative par un adjectif de sens équivalent qui traduira la vision réaliste du narrateur.

4. « Mais je ne sais pas aujourd'hui comment j'ai pu parvenir à percer la couverture de chair qui mettait une barrière entre la vie et moi » :

   a. Faites l'analyse logique de cette phrase.

   b. Transformez cette construction au style direct. Vous commencerez par : « Mais je me demande aujourd'hui... »

c. Que désigne l'expression « couverture de chair » ? À quelle figure de style cet énoncé doit-il sa puissance dramatique ?

Réécriture

« Il paraît, grâce à l'insouciance ou à la précipitation avec laquelle on nous avait jetés pêle-mêle, que deux morts s'étaient croisés au-dessus de moi de manière à décrire un angle semblable à celui de deux cartes mises l'une contre l'autre par un enfant qui pose les fondements d'un château. »

Transformez cette phrase en remplaçant le complément d'agent par une proposition subordonnée. Laquelle des deux constructions est la plus légère ? Pourquoi ?

Rédaction

L'Empereur envoie deux chirurgiens sur le champ de bataille en leur disant : « Allez donc voir, si par hasard, mon pauvre Chabert vit encore. » Dans une narration à la 3e personne et au passé simple, racontez, avec réalisme, l'expédition des deux hommes partis à la recherche du colonel.

Petite méthode pour la rédaction

- C'est un récit de type traditionnel qu'il vous est demandé de développer : 3e personne et passé simple. La narration proprement dite intégrera donc des descriptions, des dialogues et peut-être des commentaires du narrateur sur l'action, à l'exemple de Balzac.

- Le réalisme donnera au récit sa puissance dramatique : les descriptions ou les dialogues mettront en évidence la violence de la guerre ; il faudra montrer sous une forme concrète le panorama apocalyptique du champ de bataille mais aussi s'arrêter sur des détails particulièrement durs qui montreront l'horreur des combats.

- Le narrateur accompagnera les pas des deux chirurgiens dans leur quête : le récit se fera tout en mouvement.

Questions

I. La détresse d'une femme

1. « Alors elle ne sortit plus, elle ne remua plus » :

   a. Quelle forme prend la misère morale de Jeanne ?

   b. Proposez deux adjectifs qui décriront les deux symptômes évoqués dans cette phrase.

2. « Elle était souvent poursuivie d'idées fixes qui l'obsédaient et torturée par des préoccupations insignifiantes, les moindres choses, dans sa tête malade, prenant une importance extrême » :

   a. Transformez cette construction passive en construction active.

   b. Que signifie le verbe « obséder » ? Donnez le nom et l'adjectif qui appartiennent à la même famille. Quelle difficulté orthographique rencontrez-vous ?

3. « Elle devenait fataliste » :

   a. Précisez le sens du mot « fataliste » dans cette phrase.

   b. Donnez le nom de la même famille et utilisez ces deux termes dans deux phrases qui évoqueront la déchéance de Jeanne.

II. Le poids des souvenirs

1. a. Relevez quelques termes appartenant au champ lexical du souvenir.

   b. À quelle période renvoient-ils dans la vie de Jeanne ?

   c. Quel sentiment ces souvenirs nourrissent-ils ?

2. « Et elle se rappelait tous les détails, tous les petits faits, toutes les figures rencontrées là-bas » :

   a. À quelle catégorie grammaticale appartient le mot « tous » ? Sur quoi insiste-t-il ?

Vers le brevet

b. Nommez la figure de style utilisée dans cette phrase et expliquez l'effet que veut créer le narrateur.

3. « Puis elle songeait aux douces années de l'enfance de Paul, alors qu'il lui faisait repiquer des salades, et qu'elle s'agenouillait dans la terre grasse à côté de tante Lison » :

   a. Faites l'analyse logique de cette phrase.

   b. Composez une phrase dans laquelle la conjonction « alors que » traduira une autre nuance que vous préciserez.

   c. Que signifie l'expression « repiquer des salades » ? À quel champ lexical appartient-elle ?

4. « Elle les traçait lentement, devant le feu, s'imaginant les voir, puis, croyant s'être trompée » :

   a. Quelle est la nature grammaticale de « les » ?

   b. Expliquez comment le recours à ce mot allège le style de la phrase.

III. Maîtresse et servante

1. « Rosalie souvent la forçait à marcher, l'emmenait sur la route ; mais Jeanne, au bout de vingt minutes, déclarait : «Je n'en puis plus, ma fille», et elle s'asseyait au bord du fossé » :

   a. Quel est la valeur de l'imparfait ?

   b. Comment faut-il comprendre l'expression « ma fille » ? Quelles relations suggère-t-elle entre Jeanne et sa servante ?

2. « Et, dès que la tasse pleine était posée sur la table de nuit, elle se mettait sur son séant et la vidait vivement d'une manière un peu goulue » :

   a. Analysez la proposition subordonnée.

   b. Remplacez-là par un groupe nominal qui traduira la même nuance de sens.

   c. Que signifie la locution verbale « se mettre sur son séant » ?

Réécriture

« Elle répétait à tout moment :

– C'est moi qui n'ai pas eu de chance dans la vie.

Alors Rosalie s'écriait :

– Qu'est-ce que vous diriez donc s'il vous fallait travailler pour avoir du pain, si vous étiez obligée de vous lever tous les jours à six heures du matin pour aller en journée ! Il y en a bien qui sont obligées de faire ça, pourtant, et, quand elles deviennent trop vieilles, elles meurent de misère.

Jeanne répondait :

– Songe donc que je suis toute seule, que mon fils m'a abandonnée. »

Réécrivez ce passage au discours indirect. Vous resterez au plus près du texte d'origine tout en supprimant ce qui ne peut pas être gardé et en changeant certains termes.

Rédaction

« Il y a toujours un moment où il faut se séparer, parce que les vieux et les jeunes ne sont pas faits pour rester ensemble », déclare Rosalie. Prenez position sur cette idée. Enrichissez votre argumentation à l'aide d'exemples empruntés à votre propre expérience, à des films ou à des livres qui vous ont marqué.

Petite méthode pour la rédaction

- Voici un sujet d'argumentation. Avant de développer votre point de vue, expliquez la pensée de Rosalie.

- Ensuite, prenez position en présentant des arguments logiques. Si vous êtes d'accord avec Rosalie, montrez que les centres d'intérêt et les goûts des « vieux » et des « jeunes » sont différents, que les uns et les autres n'ont pas la même énergie, que les « vieux » ont déjà construit leur vie alors que les « jeunes » ont tout à réaliser, etc. Si vous n'êtes pas d'accord, montrez que jeunes et vieux ont beaucoup à apprendre les uns des autres, qu'on peut rester très proches sans vivre ensemble, etc.

- Un exemple doit fortifier un argument. Concret, il fait référence à des situations réelles.

✛Autres sujets d'entraînement

> **Sujet 1** : *Le Colonel Chabert*, Honoré de Balzac, de : « Quelle destinée ! » (p. 108, l. 182) à la fin (p. 109).

1. « Le Prêtre, le Médecin et l'Homme de justice » :

   a. Justifiez l'emploi des majuscules.

   b. Pourquoi, dans la phrase : « Quand l'homme vient trouver le prêtre... », le mot « prêtre » commence-t-il par une minuscule ?

2. « Ils portent le deuil de toutes les vertus » :

   a. Quel est le sens du mot « vertu » ?

   b. Citez deux vertus en exemple.

   c. Donnez l'antonyme de « vertu ».

3. « Repentir », « remords » :

   a. À quel champ lexical appartiennent ces deux termes ?

   b. Quelle différence faites-vous entre les deux ?

4. a. Qui est désigné à travers le terme « médiateur » ?

   b. Qu'est-ce qu'une « médiation » ? Donnez un exemple emprunté à la politique ou à la justice.

5. « Nos études sont des égouts qu'on ne peut pas curer » :

   a. Identifiez la figure de style utilisée ici.

   b. Expliquez son sens.

   c. Pourquoi Derville recourt-il à cette figure de style ?

6. « Je ne puis vous dire tout ce que j'ai vu, car j'ai vu des crimes contre lesquels la justice est impuissante » :

   a. Quelle nuance traduit la conjonction « car » ?

   b. Transformez cette phrase en une phrase complexe dans laquelle la subordonnée traduira la même nuance.

7. « Vous allez connaître ces jolies choses-là » :

   a. À quoi le mot « choses » fait-il référence ?

b. Expliquez le sens de cette phrase.

c. Quelle figure de style identifiez-vous ?

d. Quel sentiment traduit cet emploi ?

8. « J'en ai déjà bien vu chez Desroches » :

a. À quoi renvoie le pronom « en » ?

b. Justifiez l'emploi du tiret au début de la phrase.

Sujet 2 : *Proclamation à l'armée d'Italie*, Napoléon Bonaparte, texte 1, p. 147.

1. « La patrie reconnaissante vous devra sa prospérité » ; « la gloire du peuple français » :

a. Que signifient les mots « patrie » et « peuple » ?

b. Comment ces termes contribuent-ils à encourager les soldats ?

c. Utilisez-les dans deux phrases d'encouragement à l'armée de Napoléon.

2. « Si vainqueurs de Toulon, vous **présageâtes** l'immortelle campagne de 1794, vos victoires actuelles en présagent une plus belle encore » :

a. Quels sont le temps et le mode du verbe en gras ?

b. Quel temps utiliserait-on dans la langue française d'aujourd'hui ? Pourquoi ?

3. « Ainsi, je vous la promets cette conquête » :

a. Que représente le mot « la » ?

b. Par quelle construction Napoléon donne-t-il de l'expressivité à cette phrase ? Quel est son objectif ?

4. « Mais il est une condition que vous jurez de remplir » :

a. Quelle nuance traduit la conjonction « mais » ?

b. Quel type d'argument annonce-t-elle ?

Vers le brevet

    c. Sans changer le sens, simplifiez la construction en transformant cette phrase complexe en phrase simple.

    d. Laquelle de ces deux formulations est la plus expressive ? Pourquoi ?

5. « Vos victoires, votre courage, vos succès, le sang de vos frères morts au combat, tout serait perdu, même l'honneur et la gloire » :

    a. Relevez le champ lexical du guerrier.

    b. Quelle image renvoie-t-il du soldat napoléonien ?

    c. Quelle réaction Napoléon cherche-t-il à éveiller par ce vocabulaire ?

6. « Je ne souffrirai pas que ces brigands souillent vos lauriers » :

    a. Quel est le sens du verbe « souffrir » ici ?

    b. Relevez une métaphore et expliquez son sens.

7. « Pillages », « pillards » :

    a. Que signifient ces termes ?

    b. À quel champ lexical appartiennent-ils ?

    c. Utilisez-les dans deux phrases où ils s'appliqueront à une scène de guerre.

Outils de lecture

Action : dans un récit ou une pièce de théâtre, suite des événements qui constituent l'intrigue.

Argumentation : énoncé par lequel on tente de persuader ou de convaincre le destinataire.

Chute : dernière phrase – souvent à fort effet dramatique – d'une nouvelle.

Dénouement : fin d'un récit, moment où l'action se « dénoue ».

Description (ou discours descriptif) : discours qui nomme, précise les caractères et les qualités d'une personne, d'un objet ou d'un lieu, qui crée un décor ou une atmosphère.

Dialogue : ensemble de répliques échangées entre deux ou plusieurs personnages.

Discours : énoncé par lequel le narrateur commente l'action ou exprime une idée personnelle. Le discours s'oppose au « récit » qui rapporte des événements.

Durée de l'histoire : période sur laquelle se déroule l'action.

Fiction : création imaginaire. S'oppose à la réalité.

Intérêt dramatique : intérêt que peut éveiller l'action chez le lecteur.

Intrigue : enchaînement des événements dans un récit.

Narrateur : dans le récit, celui qui raconte l'histoire.

Narration (ou discours narratif) : discours qui rapporte des événements par la voix d'un narrateur.

Nœud de l'action : moment-clé de l'action, sommet dramatique.

Nouvelle (ou conte) : récit bref et dense, en prose.

Nouvelle réaliste : nouvelle qui met en scène un nombre restreint de personnages fortement caractérisés, dans un cadre spatio-temporel limité. Elle se concentre sur un événement précis, privilégie les scènes et les épisodes-clés, fait l'économie des préparatifs et des transitions.

Paroles rapportées : paroles insérées dans un récit. Discours direct : les paroles sont rapportées telles qu'elles sont prononcées. Discours indirect : les paroles sont insérées dans une proposition subordonnée complétive. Discours indirect libre : le discours indirect supprime la subordination.

Péripétie : événement imprévu dans le cours d'une action dramatique.

Point de vue (ou focalisation) : dans le récit, foyer à partir duquel sont perçus un personnage ou une situation.

Point de vue externe (ou focalisation externe) : présentation du monde à partir d'une perception objective.

Point de vue interne (ou focalisation interne) : présentation du monde à travers la perception subjective d'un personnage.

Point de vue omniscient (ou focalisation zéro) : le narrateur sait tout de ses personnages (leur passé, leurs pensées, leurs sentiments, leurs projets).

Réalisme : mouvement qui traverse l'histoire littéraire depuis le Moyen Âge. Il se développe vers 1850 autour d'un principe fondamental : montrer la réalité, décrire les milieux et les mœurs à partir d'une observation objective, sélectionner les petits faits vrais.

Récit : 1. acte de raconter. 2. produit de la narration, c'est-à-dire énoncé qui rapporte une histoire en utilisant différentes formes de discours.

Registre dramatique : qui cherche à éveiller des sentiments puissants (peur, surprise) par des procédés de dramatisation (exemple : le coup de théâtre).

Registre tragique : qui exprime le déchirement de l'homme face à des situations ou des forces qui le dépassent.

Rythme de la narration : l'ellipse temporelle passe sous silence une période ; le résumé ou sommaire résume brièvement une période ; la scène développe un épisode ; la pause interrompt la narration en faveur d'une description, d'un commentaire ou de paroles rapportées.

Temps de l'écriture : moment où l'auteur rédige son œuvre.

Bibliographie et filmographie

Éditions du *Colonel Chabert*

Le Colonel Chabert, édition du Livre de Poche, 1994. Dernière édition, dite « du Furne corrigé » (notre édition).

▶ Avec une introduction, des notes et commentaires et un riche dossier de Stéphane Vachon.

Le Colonel Chabert, édition Gallimard, collection Pléiade, tome III de *La Comédie humaine*, 1976.

▶ Édition faisant autorité, avec un historique des différentes versions du roman, des notes et variantes, des critiques et des commentaires d'excellente qualité.

Quelques romans de Balzac

Les Illusions perdues (1836-1843)

▶ Raconte les expériences parisiennes de Lucien de Rubempré, jeune provincial ambitieux. Satire réaliste et implacable du milieu des journalistes.

Le Père Goriot (1835)

▶ Histoire d'un père qui sacrifie tout pour ses filles. Avec Rastignac et Vautrin, personnages fameux de *La Comédie humaine*.

Eugénie Grandet (1833)

▶ Histoire d'une jeune fille qui vit sous la domination tyrannique de son père, un avare intraitable.

Biographies et études sur Balzac

Balzac romancier, de Maurice Bardèche, Plon, 1945

▶ Initiation sérieuse à l'imaginaire et à l'œuvre de Balzac.

Balzac. Le roman de sa vie, de Stefan Zweig, traduit de l'allemand par Fernand Delmas, Albin Michel, 1950

▶ Biographie subtile qui raconte, sous la plume du romancier autrichien, la vie mouvementée de Balzac en montrant les mécanismes qui ont décidé de son destin.

Bibliographie et filmographie

Balzac, une mythologie réaliste, de Pierre Barbéris, Larousse, 1971

> ▶ Permet de saisir toute la complexité de l'homme et de l'œuvre dans une perspective historique et littéraire.

Films adaptés des romans de *La Comédie humaine*

Le Colonel Chabert, film français réalisé par André Calmettes et Henri Pouctal, 1911

> ▶ Film muet, en noir et blanc, avec des effets dramatiques puissants reposant sur le travail de l'image et les jeux de physionomie des acteurs.

Le Colonel Chabert, film français réalisé par René Le Hénaff, d'après une adaptation et des dialogues de Pierre Benoit, 1943

> ▶ Avec Raimu, figure inoubliable du colonel Chabert, Marie Bell, Jacques Baumer. Version qui fait référence.

Eugénie Grandet, film italien réalisé par Mario Soldati, 1946

> ▶ Valut un prix d'interprétation à Alida Valli dans le rôle d'Eugénie.

La Peau de chagrin, téléfilm français réalisé par Michel Favart, 1980

> ▶ Adaptation fidèle du roman.

La Femme abandonnée, film français d'Édouard Molinaro, 1992

> ▶ Histoire d'une passion suivie d'une rupture dramatique. Avec Charlotte Rampling et Niels Arestrup.

Le Colonel Chabert, film français réalisé par Yves Angelo, 1994

> ▶ Avec Gérard Depardieu dans le rôle du colonel, Fanny Ardant dans le rôle de sa femme, Fabrice Luchini dans le rôle de Derville. Remarquable interprétation des acteurs.

Sites Internet

fr.wikipedia.org/wiki/Honoré_de_Balzac

> ▶ Article de l'encyclopédie en ligne *Wikipédia* consacré à Balzac. Excellent article, très complet, qui oriente le lecteur sur de nombreuses pistes.

www.napoleon.org/fr

> ▶ Pour tout savoir sur Napoléon, sa biographie, sa vie privée et son destin politique, ses batailles.

Crédits photographiques

Photocomposition : JOUVE Saran
Impression : La Tipografica Varese Srl (Italie)
Dépôt légal : janvier 2013 - 310242/04
N° Projet : 11034033 - août 2016